Finanças na vida real

André Bona

Finanças na vida real

Pague as dívidas, conquiste seus sonhos e garanta uma boa aposentadoria

Copyright © 2021, André Bona
© 2021 Casa dos Mundos/LeYa Brasil

Todos os direitos reservados e protegidos pela Lei 9.610, de 19.2.1998.
É proibida a reprodução total ou parcial sem a expressa anuência da editora.

Este livro foi revisado segundo o Novo Acordo Ortográfico da Língua Portuguesa.

Editora executiva
Izabel Aleixo

Revisão
João Rodrigues

Produção editorial
Ana Bittencourt, Carolina Vaz e
Emanoelle Veloso

Projeto gráfico e diagramação
Filigrana

Capa e ilustração de capa
Angelo Bottino

Edição de texto
Liciane Corrêa

Dados Internacionais de Catalogação na Publicação (CIP)
Angélica Ilacqua CRB-8/7057

Bona, André
    Finanças na vida real: pague as dívidas, conquiste seus sonhos e garanta uma boa
aposentadoria / André Bona. – São Paulo: LeYa Brasil, 2021.
    256 p.

ISBN 978-65-5643-149-9

1. Finanças pessoais 2. Poupança e investimento I. Título

21-4727

CDD 332.024

Índices para catálogo sistemático:
1. Finanças pessoais

LeYa Brasil é um selo editorial da empresa Casa dos Mundos.

Todos os direitos reservados à
Casa dos Mundos Produção Editorial e Games Ltda.
Rua Frei Caneca, 91 | Sala 11 – Consolação
01307-001 – São Paulo – SP
www.leyabrasil.com.br

Dedico este livro à Luisa, minha companheira nesta e em outras viagens; aos meus pais, Maria e Luis Carlos, e à minha irmã, Daniela. Todos meus mestres do dia a dia desde sempre.

Dedico também a todos aqueles que estão dispostos a percorrer a incrível jornada da educação financeira pessoal como um dos pilares do autoconhecimento com foco não em números, mas em qualidade de vida.

SUMÁRIO

Apresentação | 9

Capítulo 1 | Educação financeira e qualidade de vida | 15

Capítulo 2 | Metas financeiras: a bússola de que você precisa! | 29

Capítulo 3 | Como organizar suas finanças na prática: orçamento | 44

Capítulo 4 | Dicas preciosas para melhorar o orçamento | 64

Capítulo 5 | Economizando com inteligência | 71

Capítulo 6 | Eliminando as dívidas com o método 1-2-3 | 84

Capítulo 7 | Raio X da situação financeira | 101

Capítulo 8 | O caminho do empobrecimento e o caminho do enriquecimento | 119

Capítulo 9 | Juros: amigo ou inimigo? | 129

Capítulo 10 | Crédito: como utilizar com inteligência | 143

Capítulo 11 | O sonho da casa própria | 154

Capítulo 12 | Faça o dinheiro trabalhar para você | 184

Capítulo 13 | De endividado a investidor: os primeiros passos | 203

Capítulo 14 | Segurança financeira com a reserva de emergência | 219

Capítulo 15 | Como investir para realizar seus sonhos | 229

Capítulo 16 | Planejando uma aposentadoria tranquila com investimentos | 245

Palavras finais | 253

APRESENTAÇÃO

Durante grande parte de nossa vida, nós nos preocupamos com nosso desenvolvimento pessoal e profissional. Assim que deixamos o ensino fundamental, entramos no médio. Alguns já procuram um curso técnico para ter uma profissão, outros seguem firmes com o objetivo de fazer um curso superior. Alguns poucos conseguem reunir recursos para dedicar parte de seu tempo valioso em cursos de pós-graduação, mestrado, doutorado e por aí vai, buscando sempre ampliar sua qualificação e, assim, obter mais realizações e maiores salários.

Por outro lado, precisamos desenvolver algumas habilidades que não se referem especificamente à nossa área de atuação profissional. São as chamadas *soft skills*, competências relacionadas ao comportamento humano. Dentre essas habilidades eu, particularmente, destaco 2: habilidades financeiras e gestão de tempo.

As habilidades financeiras, nesse contexto, referem-se ao nível de compreensão e comportamento que devemos ter frente às nossas decisões financeiras do dia a dia. Imagine um profissional extremamente bem-sucedido, com boa renda, mas que não tenha nenhuma habilidade financeira para cuidar do próprio dinheiro? Fatalmente pode se ver enrolado em dívidas além de sua capacidade de pagamento e, apesar de talentoso na sua profissão, perde qualidade de vida, gerando uma série de frustrações pessoais. Ou seja: as habilidades financeiras são necessárias justamente para que você possa ter uma relação positiva com o dinheiro e fazer bom uso dele, sem que ele se transforme numa arma de autodestruição.

A habilidade de gestão do tempo também é fundamental, pois gerenciar sua rotina priorizando aquilo que é mais importante e evitando aquilo que não traz benefícios permite ter foco. E com foco você equilibra com melhor qualidade todas as variáveis da vida, tais como trabalho, família, lazer, estudos, atividade física, entre outras.

Essas 2 habilidades, a meu ver, possuem certa similaridade, pois se referem à alocação de recursos: Como devo alocar os recursos financeiros provenientes de minha renda de maneira a maximizar minha qualidade de vida? Como devo alocar meu tempo com a mesma finalidade? Basicamente, ambas tratam disso: alocar bem 2 recursos importantes (dinheiro e tempo). Por isso, se você quer obter qualidade de vida, dedique-se ao desenvolvimento dessas 2 habilidades sempre que possível.

Em *Finanças na vida real*, trataremos prioritariamente das habilidades financeiras. No entanto, não se trata meramente de resolver problemas matemáticos e financeiros, mas sim de ganhar qualidade de vida!

Talvez você esteja pensando que "finanças" seja um tema complicado, uma área do conhecimento que é perfeitamente adequada apenas para economistas e consultores financeiros de altíssimo nível intelectual. Posso assegurar que essa não é a realidade. O desenvolvimento das habilidades financeiras envolve 2 componentes: o técnico-financeiro e o comportamental. Isso significa que muita coisa tem técnica e precisa ser aprendida, porém outra parte significativa dessa habilidade está relacionada ao seu comportamento. E isso não se restringe meramente às finanças do dia a dia. Até dentro dos círculos de indivíduos com conhecimentos avançados o componente comportamental é de suma importância.

Para ilustrar o que estou dizendo, veja esta citação do livro *Investidor inteligente*, de Benjamin Graham:

> Vimos muito mais dinheiro ser ganho e mantido por pessoas comuns que eram, por temperamento, mais bem talhadas para o processo de investimento do que as que não tinham essa qualidade, muito embora elas tivessem um amplo conhecimento de finanças, contabilidade e dos meandros do mercado financeiro.

Mas "quem é Benjamim Graham na fila do pão?", talvez você se pergunte. Ele é nada menos do que o professor de Warren Buffett, o maior investidor nos mercados financeiros de todos os tempos. O livro que citei acima é considerado a bíblia dos investimentos, e simplesmente todos os profissionais e investidores do mercado financeiro o têm na mesa de cabeceira. É uma referência inquestionável. É praticamente a pedra fundamental da avaliação de investimentos em ações.

O ponto de destaque ali é que Graham toca no ponto do comportamento como um dos pilares do sucesso financeiro em investimentos, e posso garantir que isso também se aplica às finanças do dia a dia. Não é preciso ser um doutor em economia, contabilidade e em mercados financeiros para tomar excelentes decisões financeiras, seja no mercado de ações ou no supermercado da esquina. Essa realidade está disponível para qualquer um, basta ter algum nível de dedicação e aprendizado. Eu mesmo sou um exemplo disso.

Quando fazia meu curso de graduação em turismo (totalmente fora do mundo financeiro, portanto), no período de 1994 a 1998, me foi ofertada a conta bancária universitária. A conta disponibilizava cartão de crédito, cheque especial, 10 dias sem juros no cheque especial, zero de tarifa e nenhuma comprovação de renda.

Embora a estratégia do banco se baseasse no fato de que "estudantes universitários são responsáveis", eu estava justamente no grupo dos irresponsáveis. Por que não usar o cartão de crédito para pagar a noitada? Por que não usar o cheque especial no Carnaval? O resumo é que essa minha experiência bancária foi desastrosa. Não por conta do banco, mas pela minha própria incapacidade de resistir a impulsos consumistas e ao prazer imediato. E assim começou o meu aprendizado financeiro: da pior maneira possível.

Quero lhe mostrar que o domínio do tema está acessível para qualquer pessoa, de qualquer área de formação e em qualquer situação. Não sou alguém que estudou economia ou contabilidade e fez pós-graduação ou mestrado em finanças. Sou exatamente como a maioria das pessoas – talvez como você – que não teve a oportunidade de se instruir financeiramente e teve que aprender pelos caminhos mais tortuosos, via tentativa e erro, *na vida real*. Independentemente da sua formação e da situação em que você esteja agora, é possível dar uma reviravolta na sua vida financeira, e este livro certamente vai lhe oferecer ideias preciosas que vão iluminar a sua jornada.

Depois de um início desastroso, precisei me dedicar ao aprendizado de finanças em busca de paz e qualidade de vida, e venho trilhando esse aprendizado há mais de 20 anos. Dentro de minha trajetória profissional anterior, sempre estive envolvido com iniciativas relacionadas à educação, atuando, inclusive, como professor, coordenando cursos de nível técnico e também ministrando uma série de treinamentos corporativos. Como me apaixonei pelo tema das finanças, resolvi trabalhar no mercado financeiro, e a educação financeira se tornou um caminho natural.

Atualmente, com uma vasta experiência no assunto – vendi minha participação em 2 empresas (1 em 2009, na área de telecomunicação, e outra em 2018, na área de assessoria de investimentos); atendi pessoalmente centenas de investidores que buscavam aconselhamento para investir; gerenciei equipe de assessores financeiros; desenvolvo um sólido conteúdo financeiro na internet num site pessoal (andrebona.com.br, no ar desde 2011) e no YouTube (desde 2013); integro o time de educação financeira do BTG Pactual digital, que é a plataforma do maior banco de investimentos da América Latina; integro o time de educação financeira da Exame Academy, área educacional do portal Exame; e sou professor em cursos de pós-graduação da PUCRS e da Unisinos – reafirmo: não é preciso ser doutor em economia para tomar excelentes decisões financeiras, e eu vou auxiliar você nessa jornada.

Como este livro está organizado

O livro está organizado em 16 capítulos que se sucedem de maneira a mostrar a você tanto aspectos comportamentais quanto técnicos que podem ser utilizados com facilidade no seu dia a dia e que certamente vão proporcionar aumento de qualidade de vida.

Nos capítulos iniciais, você vai desenvolver um pouco da sua mentalidade financeira, refletindo sobre finanças e qualidade de vida, passando pela ancoragem do comportamento com o estabelecimento de metas. Depois, você verá dicas práticas de uso imediato que elevarão sua consciência e prática financeira do dia a dia, incluindo organização e melhoria de orçamento, economia com inteligência e eliminação de dívidas. Mais adiante, você compreenderá como se dá o processo de enriquecimento (e também o de empobrecimento). Essa noção vai ficar "tatuada" na sua mente para sempre e será um dos vetores de sua transformação. Também falaremos sobre juros e crédito, e você vai descobrir o que fazer para colocar o dinheiro para trabalhar a seu favor, como obter segurança financeira e como investir para realizar seus objetivos de vida. Falando em objetivos, há um capítulo à parte com ideias impactantes sobre a maior decisão financeira da vida da maioria das pessoas: a compra da casa própria. E, por fim, você aprenderá a ter uma aposentadoria segura, sem contratempos.

E uma informação importante: na página de *Finanças na vida real*, no site da editora LeYa Brasil, você encontrará as planilhas que uso ao longo do livro para download gratuito. Assim, você poderá baixá-las e fazer os cálculos de projeção da sua vida financeira com maior conforto, rapidez e precisão. O endereço é: http://www.leyabrasil.com.br/financas-na-vida-real/

Tenho certeza de que ao longo dessa jornada você perceberá muitas transformações. A vida que você quer ter pode ser a sua vida real.

A jornada começa agora! Bons estudos!

Capítulo 1

EDUCAÇÃO FINANCEIRA E QUALIDADE DE VIDA

Na maioria das vezes em que ouvimos falar sobre finanças pessoais e cuidados que as pessoas devem ter com o dinheiro, nos lembramos de alguma reportagem que vimos alguma vez na televisão com dicas de algum economista, quase sempre engravatado, que, no final das contas, se resumia ao chavão: "Não devemos gastar mais do que ganhamos". Em outras tantas situações, conseguimos lembrar também dicas para uso do décimo terceiro salário, se devemos evitar ou não compras parceladas e como lidar com as despesas de início de ano, como IPTU, IPVA e material escolar.

O chavão "gastar menos do que ganha", apesar de simples, requer que você saiba, antes de tudo:

- ► Quanto gasta;
- ► Com o que gasta;
- ► Quanto ganha;
- ► De onde ganha.

Para cuidar das contas, é preciso lidar com números, anotar renda e despesas numa folha de papel ou aplicativo digital e dedicar horas preciosas da semana a essa tarefa. Não vou mentir dizendo que se trata de uma atividade prazerosa, e, se pudéssemos fugir dela, seria maravilhoso. Outra dificuldade que você pode encontrar refere-se à disponibilidade: "Quando eu poderia me dedicar a isso? Não tenho tempo!".

Com o dia a dia cada vez mais corrido e atarefado, talvez ainda mais com a pandemia de Covid-19 – que mostrou que a imprevisibilidade das situações causa impacto no tempo e nas finanças –, realmente o tempo escorre por entre os dedos. Aqueles instantes em que você tem algum tipo de folga, geralmente nos fins de semana, são voltados para usufruir de outras atividades que lhe trazem satisfação, tais como passear, namorar, ir ao parque, ao cinema, assistir a filmes ou ao futebol na TV, ouvir música, participar de um churrasco com os amigos, curtir a família ou qualquer outro desses momentos que nos fazem relaxar.

É sexta-feira, final do expediente, e chega aquele convite da turma do trabalho: "Que tal um *happy hour*?" Muito difícil recusar, não é mesmo? Muito difícil parar e analisar se há espaço no orçamento, se esse gasto estava previsto, se vai faltar dinheiro para os compromissos da próxima semana ou do próximo mês. Afinal, pode-se usufruir imediatamente e jogar a despesa no cartão de crédito, empurrando o custo para o futuro. Mas o grande problema é que o futuro chega. E chega rápido. E ali no futuro próximo você vai ser convidado para outro *happy hour*, e pode ser que até pense em recusar o convite pois o cartão terá estourado. De toda forma, é bom saber que existe aquele empréstimo com desconto em folha ou mesmo o parcelamento do cartão que pode "ajudar", certo? *Então isso eu resolvo no futuro, o importante é aproveitar o momento, porque a semana foi puxada e cheia de problemas difíceis no trabalho.* Afinal, "todo mundo merece", pois os problemas foram resolvidos, a área de vendas da empresa fechou novos contratos e somos filhos de Deus.

Agora, pensando melhor sobre a necessidade de cuidar ou não das finanças, podemos incluir, além de toda aquela trabalheira de que já falamos anteriormente, a restrição que isso vai causar. Imagine de quantos momentos prazerosos você terá que abrir mão porque as suas finanças mostrarão que o mais sensato é não fazer determinados gastos que tanto lhe fazem bem. "Quer dizer que cuidar das finanças, além de ser chato, toma tempo e ainda vai restringir minha liberdade e lazer? Tô fora!" é o que diz a maioria das pessoas.

Mas tem alguma coisa errada! Quando observamos propagandas de bancos, sempre assistimos a pessoas felizes, em momentos de lazer. Lógico que não dá para confiar em propagandas de banco (nem em propaganda nenhuma), mas é importante lembrar que aquele estereótipo ali não é o de pessoas descontroladas financeiramente. Quando assistimos a uma novela ou a um filme, normalmente aqueles personagens bem-sucedidos também não aparentam ter esse tipo de problema. Certamente pessoas nessas situações sempre transmitem uma imagem de que sabem lidar com dinheiro e por isso conseguem realizar o que nós também gostaríamos de realizar. É claro que devemos lembrar que tudo isso são historinhas de ficção. A propaganda do banco é feita para que algum produto financeiro seja vendido e os filmes e novelas são entretenimento puro. Mas isso também não ocorre na realidade?

Dependendo da sua idade, você pode se lembrar de alguns momentos interessantes. Quem acompanhou a carreira de Ayrton Senna na Fórmula 1 há de se lembrar de que ele é considerado o "rei de Mônaco", por ser o piloto que mais vezes venceu o grande prêmio disputado anualmente no principado. Quem gosta de assistir a corridas da Fórmula 1 sabe que a disputa em si pode ser uma chatice, porque a pista é cheia de curvas e existem pouquíssimos pontos de ultrapassagem, porém todo o entorno é mágico. Muitos espectadores assistem ao grande prêmio dos seus impressionantes barcos, ancorados às margens da pista, tomando champagne e ouvindo música, enquanto outros fazem o mesmo das sacadas dos prédios. A atmosfera que cerca o ambiente é de altíssimo luxo. Será que isso lhe dá alguma pista? A primeira é sobre a desigualdade. Certamente não estamos observando o que acontece em Mônaco como algo que acontece em todo o mundo, mas apenas aquilo que acontece com uma fração muito pequena de pessoas altamente endinheiradas, que concentra a maior parte da riqueza mundial, enquanto os "pobres mortais" seguem na luta diária para arcar com as contas do dia a dia e com a fatura do cartão de crédito, que aliás, neste mês, poderá incluir a cobrança do *happy hour* do mês passado.

Será que só existem essas 2 realidades? Os ricaços nos seus iates em Mônaco e a grande maioria das pessoas com dificuldade para fechar as contas? A resposta é: definitivamente não. Entre os 2 extremos, há uma lacuna enorme de possibilidades, determinadas por fatores pessoais ou outros que atingem todo o planeta, como uma pandemia.

Para que você possa efetivamente fazer suas finanças pessoais evoluírem, existem alguns obstáculos que precisam ser superados, e o primeiro deles é derrubar esses três mitos:

- ► Cuidar das finanças toma tempo – MITO;
- ► Cuidar das finanças é chato – MITO;
- ► Cuidar das finanças restringe a liberdade – MITO.

Cuidar das finanças não toma tempo!

Embora talvez você pense dessa maneira, a verdade é que não é bem assim. Tal como qualquer outra atividade, existe um momento de aprendizado e depois o momento da execução, e, na medida em que esse aprendizado é obtido, a atividade vai se tornando cada vez mais automática. Um exemplo que nos mostra isso claramente é quando aprendemos a dirigir.

No início, é preciso dedicar algum tempo para estudar o significado da sinalização do trânsito e ainda dedicar algum tempo para aprender a executar a tarefa de dirigir: como manusear a marcha, o freio de mão, os espelhos retrovisores, acender ou apagar o farol. Aprendemos para que serve cada pedal e como dosar o peso dos pés em cada um deles de maneira sincronizada, para que o carro faça os movimentos de sair da inércia, acelerar, desacelerar e parar. Então podemos observar que, uma vez que esse conhecimento é aprendido, nunca mais gastamos tempo exercitando essas ações. O carro se transforma numa extensão de nosso corpo de tal maneira que não pensamos mais nos pedais, na marcha, no volante, na seta. Tudo ocorre de maneira automática, e a cada vez que usamos o veículo para as necessidades do dia a dia nos tornamos mais seguros e motoristas mais hábeis. Não é mais o ato de dirigir que nos toma tempo, mas sim o deslocamento em si, devido à distância e às condições do trânsito. O mesmo processo ocorre quando aprendemos a ler. Primeiro juntamos os sons das letras, formando sílabas, e então formamos as palavras. E depois passamos para a compreensão das palavras e, finalmente, entendemos a ideia fruto da sequência de palavras. Uma vez que esse processo é aprendido, não precisamos voltar a juntar letras de maneira pausada e consciente. E, quanto mais lemos, maior é nosso vocabulário e maior é a nossa capacidade de absorver ideias e formar opiniões.

Com finanças é a mesma coisa. Você pode passar uma vida reclamando que cuidar das finanças toma muito tempo e viver com dificuldades financeiras *ou* pode se dedicar a aprender, durante um curto período, a gerenciar sua vida financeira – pela prática no dia a dia –, para fazer isso gastando menos tempo e com menos esforço. Dessa forma, cuidar das finanças economiza o tempo de ter que lidar uma vida inteira com essa preocupação.

> Cuidar das finanças não é desperdício de tempo.
> Desperdício de tempo é não cuidar das finanças!

Cuidar das finanças não é chato!

Relacionar despesas, anotar gastos e ter um controle pode ser uma tarefa chatinha, e podemos concordar nisso. No entanto, existem coisas que precisam ser feitas, gostemos ou não. Ainda assim, existem os níveis de chatice toleráveis e aqueles não toleráveis. O que leva à impressão de que cuidar das finanças é chato não é exatamente o ato de cuidar das finanças, mas sim a *sua* perspectiva sobre o controle das finanças. Uma pessoa financeiramente educada cuida das finanças planejando como fará sua próxima viagem internacional, como presenteará seus familiares, em que mês será possível comemorar um jantar num restaurante especial, como poderá ter uma aposentadoria tranquila e até mesmo quanto poderá doar para caridade. Tudo isso dentro das suas possibilidades e sem endividamento. E isso não é nada chato.

Então voltamos à questão da chatice: o que é mais chato? Passar a vida inteira lutando para pagar as contas, contraindo dívidas atrás de dívidas e pagando juros sobre juros *ou* dedicar seu tempo a traçar planos importantes e que verdadeiramente lhe proporcionem tranquilidade financeira?

> Cuidar das finanças não é chato. Chato é resolver problemas financeiros a vida toda por nunca ter cuidado das finanças!

CUIDAR DAS FINANÇAS NÃO RESTRINGE A LIBERDADE!

Ao controlar as finanças, certamente você será convidado a fazer escolhas. E essas escolhas o levarão, no futuro, a um resultado compatível. Por esse motivo, pensar em cuidar das finanças traz responsabilidade sobre suas decisões, e bem lá no fundo talvez seja isso que você queira evitar. Pode ser realmente duro sair da condição de "ser passivo financeiro", na qual o mundo o arremessa de um lado para o outro sem piedade e você permanece à mercê dos acontecimentos, do emprego atual (gostando dele ou não), do medo de uma demissão e das emergências que surgem. Na condição de "ser passivo financeiro", você depende também do banco, se ele vai liberar mais limite no cartão de crédito ou no cheque especial, se vai aprovar o financiamento do carro que deseja ou da casa dos sonhos. Em todas essas situações, cada pessoa é levada a agir tão somente pela sobrevivência, ao contrário do "ser ativo financeiro" que assume as rédeas da própria vida, realiza coisas boas e jamais perde noites de sono por problemas com dinheiro. É preciso que o "ser ativo financeiro" nasça de dentro do "ser passivo financeiro", e esse processo – dentro de cada um de nós – pode ser doloroso, é verdade, porque provavelmente somos obrigados a calçar as sandálias da humildade e olhar para o nosso próprio comportamento. O que é a nossa situação financeira que não o fruto do nosso comportamento no dia a dia? E olhar para nós mesmos pode realmente ser difícil.

Mas tem um detalhe importante: ao permitir o nascimento do "ser ativo financeiro", ao se tornar senhor de si mesmo, assumindo as rédeas da sua vida, uma coisa acontece: você se torna livre. *Livre de verdade*. A ideia de cuidar das finanças, ao contrário do que se pensa, lhe trará mais liberdade: de escolhas, de ser quem você é, liberdade inclusive para consumir mais e melhor, de maneira consistente e não apenas ocasional. Não é que o "ser ativo financeiro" gaste menos do que o "ser passivo financeiro". Ele gasta mais, porém gasta com qualidade e não desperdiça dinheiro com juros bancários. Muitas pessoas possuem o hábito de financiar um novo carro a cada 5 anos. E, a cada financiamento, pagam 3 carros em vez de 1, por conta dos juros.[1] E, a cada 5 anos, fazem isso novamente. Digamos que o primeiro financiamento aconteça aos 25 anos e o último aos 60. São 40 anos pagando 8 financiamentos de carro, ou seja: 24 carros pagos no total. Sem contar o financiamento imobiliário, em que normalmente se pagam 3 imóveis em vez de 1.

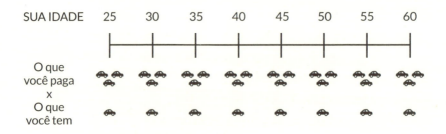

---

[1] O valor a mais de um financiamento com relação à compra à vista sempre depende de diversos fatores associados à análise de crédito de cada indivíduo, ao bem financiado, ao percentual de entrada e nível de juros de mercado no momento. Para efeito didático neste livro, utilizaremos parâmetros imprecisos e que se alteram em função das condições de mercado, porém, quando comparativos assim forem feitos, possuem a intenção de ilustrar o impacto do custo dos juros de acordo com as escolhas financeiras de cada indivíduo.

Atitudes como as relatadas acima geram um custo elevadíssimo ao longo de uma vida inteira, ocasionando com frequência uma dependência extrema de terceiros e o custo de uma vida pagando juros, ao passo que uma conduta diferente permitiria pagar 8 carros (e não 24) e 1 apartamento (e não 3), sobrando muito mais dinheiro para outras aquisições.

> Cuidar das finanças não restringe a liberdade, muito pelo contrário: permite consumir muito mais e com muito mais qualidade!

Além desses três mitos que já desmistificamos, existem outras "verdades" que não passam de crenças limitantes que impedem você de progredir e ter uma melhor qualidade de vida.

Cuidar das finanças é coisa de gente pão-dura!

Quem quer de verdade obter qualidade de vida deve abandonar esse tipo de pensamento imediatamente. Não é muito difícil abrir o navegador da internet e procurar uma lista dos maiores filantropos do planeta. Pode-se facilmente observar que a filantropia, sobretudo nos países mais desenvolvidos, é uma prática bem consolidada, e que os donos das maiores fortunas do planeta também são grandes filantropos. Claro que aquela parte recalcada da nossa mente nos dirá: "Também, com a quantidade de dinheiro que possuem, o que custa doar um pouco?" Você pode decidir se agarrar a esse questionamento, mas pode também observar com os olhos daqueles que sempre aproveitam informações para aprender alguma lição: "Se eu cuidar das minhas finanças, serei mais ou menos capaz de ajudar outras pessoas?".

Há certa obviedade em dizer que pessoas autocontroladas financeiramente podem ajudar mais o outro do que pessoas descontroladas. O que muitos não pensam é: pessoas sem controle financeiro precisarão ser ajudadas no futuro – e precisarão torcer para que encontrem quem esteja disposto a ajudá-las. De que lado você quer estar?

Pensar em filantropia talvez esteja, hoje, muito longe da sua realidade, mas que tal observar situações mais próximas, dentro da sua família? Será que, se você tiver uma boa conduta financeira, poderá, por exemplo, custear o plano de saúde de seus pais durante a velhice, caso venham a precisar de suporte financeiro? Estará você apto a contribuir com um familiar que enfrente algum tipo de enfermidade ou algum período de grave dificuldade financeira? Terá condição de proporcionar bons momentos aos que ama e que, pelos diversos motivos e surpresas da vida, não poderiam estar presentes por questões financeiras, como uma viagem em família? Podemos concluir, portanto, que cuidar das finanças, além de não ser coisa de gente pão-dura, permite ser generoso com outras pessoas, de sua família ou não, quando houver necessidade e sem que isso prejudique você. Sem dúvida alguma deve ser muito triste ter dinheiro sobrando e não ajudar aos que estão próximos por mesquinharia. No entanto, talvez seja ainda mais triste não ser pão-duro e não poder ajudar por ser alguém descontrolado com as próprias finanças.

Dinheiro não traz felicidade

Se essa afirmação é feita dentro de um contexto amplo e filosófico, podemos até concordar. Realmente, de acordo com toda a literatura que trata do tema e pela nossa própria experiência humana de busca pela felicidade, parece que dinheiro não traz felicidade. O que não podemos aceitar de maneira alguma é que essa frase seja usada como desculpa para justificar a preguiça de quebrar a inércia e progredir.

Uma das nossas capacidades mais incríveis é a de se adaptar às diferentes situações que nos são impostas. Se por um lado isso é uma vantagem enorme, por outro, carrega uma armadilha: se podemos nos adaptar, então corremos também o risco de nos acostumar com hábitos ruins, que apenas prejudicam a nós mesmos. Então aquilo que é uma grande vantagem também precisa ser observado com atenção, pois ninguém deseja verdadeiramente se acostumar a uma situação de penúria financeira e passar a vida inteira nela. Acostumar-se à privação e passar a aceitar a realidade dessa forma, que não há uma outra forma de viver, é se fechar ao aprendizado e ao próprio desenvolvimento. E isso pode levar uma pessoa a uma situação de infelicidade permanente.

É óbvio que o dinheiro por si só não traz felicidade, uma vez que a felicidade possivelmente esteja em nosso interior e no autoconhecimento. Porém, existem pequenos atos que você faz e que também não trazem felicidade por si só, mas que precisam ser superados dentro de nossa evolução. Escovar os dentes não traz felicidade, porém é algo que precisa ser feito, pois vai ajudar a conservar sua saúde bucal. Então realmente concordamos que o dinheiro não traz felicidade quando ele passa a ser o objetivo – mas, como uma ferramenta a ser utilizada durante sua trajetória, certamente o uso do dinheiro precisa ser compreendido e dominado.

O ato de cuidar de suas finanças pode desencadear uma série de hábitos positivos, como a disciplina, o autocontrole, a tomada serena de decisões e a filantropia, que acabamos de citar. E muito provavelmente esses aspectos farão parte da sua trajetória de felicidade. Repare, portanto, que desenvolver habilidades financeiras permite desenvolver uma série de outras habilidades que, essas sim, podem lhe trazer mais satisfação.

Não quero ser escravo do dinheiro!

O que é exatamente ser escravo do dinheiro? Muitas pessoas associam essa ideia a fazer qualquer coisa para ganhar dinheiro, passando por cima de tudo e de todos. Quando jogamos com amigos, só por diversão, se escondemos algumas cartas ou peças para alardear uma vitória, em nosso íntimo sabemos que essa vitória não existiu. Dessa maneira, ultrapassar barreiras éticas e morais em nome do dinheiro realmente é ser escravo dele. Mas o que diferencia essa realidade daquela em que se vive financeiramente estrangulado?[2] Será que há muitas semelhanças na importância que 2 pessoas, nessas diferentes situações, dão ao dinheiro?

Um indivíduo que coloca o dinheiro acima de qualquer coisa na vida, podendo até mesmo prejudicar outras pessoas, e enxerga os bens materiais como um instrumento de poder é, certamente, escravo do dinheiro. Toda a sua vida, toda a sua atenção e todas as suas ações estão voltadas para a satisfação do ego, de maneira que o dinheiro norteia tudo o que a pessoa faz no dia a dia.

Por outro lado, um outro indivíduo que afirma que não liga para dinheiro e tem um comportamento irresponsável é, certamente, mesmo contra a sua vontade, escravo do dinheiro. Simplesmente porque toda a sua vida gira em torno de resolver problemas financeiros, pegar empréstimos para quitar empréstimos anteriores, almoçar no melhor restaurante que o dinheiro que ele não tem pode pagar, conviver com

---

2 É importante aqui fazermos uma observação sobre "viver financeiramente estrangulado". Há pessoas que gastam mais do que o bom salário que ganham, como falaremos daqui a pouco. Mas há aquelas cuja renda mensal é baixa, considerando o número de dependentes e os custos de vida da região em que mora. Este livro também é para essas pessoas. Aqui, falaremos sobre reprogramar hábitos e o modo como se enxergam os sonhos que o dinheiro pode comprar. Se um indivíduo nessa situação quer focar todos os seus esforços em aumentar a renda, qualificar-se, desenvolver-se, gerar renda extra, este livro traz sugestões que vão ao encontro dessa meta. Afinal, ninguém deveria se sentir obrigado a se adequar financeiramente com essa realidade a vida toda. Os exemplos que mostraremos aqui incentivam a progredir e mudar essa situação e, assim, aplicar as ideias do conteúdo na sequência.

os familiares numa intensidade maior que o seu dinheiro lhe permite, tirar férias da forma como o dinheiro que queria ter defina.

Notemos que nos 2 casos o dinheiro é o protagonista e é quem dita como cada um vai viver no dia a dia.

Ao se tornar senhor de si, responsável por suas próprias escolhas e dominar a organização financeira pessoal, o dinheiro deixa de ser protagonista e vai assumindo um papel cada vez mais irrelevante. O que norteia as decisões do indivíduo não é mais o dinheiro, e sim a sua vontade. Ele não pensa mais onde vai almoçar, e sim o que deseja comer. Ele não pensa mais se vai viajar nas férias, mas se quer viajar e para onde. Ele não pensa se vai poder ajudar alguém, mas apenas em como. Ou seja, o indivíduo que se desenvolve em finanças reduz o poder do dinheiro sobre sua vida.

> O papel da educação financeira é
> tornar o dinheiro irrelevante.

Resumo do capítulo:

- ▶ Cuidar das finanças não é chato. Chato é resolver problemas financeiros a vida toda por nunca ter cuidado das finanças.
- ▶ Cuidar das finanças não é desperdício de tempo. Desperdício de tempo é não cuidar das finanças.
- ▶ Cuidar das finanças não restringe a liberdade, muito pelo contrário: permite consumir muito mais e com muito mais qualidade.
- ▶ Cuidar das finanças não é coisa de gente pão-dura. Com as finanças em ordem, é possível não apenas cuidar de si mes-

mo, como também amparar ao próximo em situações de necessidade.

- Dinheiro não traz felicidade, mas as habilidades necessárias para ter uma boa relação com o dinheiro certamente são também necessárias para o autoconhecimento e para o caminho que leva à felicidade.
- O papel da educação financeira na nossa vida é tornar o dinheiro irrelevante.

> Podemos concluir que cuidar das finanças não é um tema relacionado a contas, números, controles e restrições. É sobre qualidade de vida!

Capítulo 2

METAS FINANCEIRAS: A BÚSSOLA DE QUE VOCÊ PRECISA!

Quando eu era adolescente, tinha o sonho de ser multimilionário! Alguns dos meus amigos queriam coisas parecidas, desde virar um astro da TV a ser um homem de negócios bem-sucedido. Seja como for, esses sonhos não eram de fato o que desejávamos. O que eu desejava mesmo era viabilizar um estilo de vida que me permitisse ser um surfista na maior parte do tempo. Basicamente o que eu desejava era alguma coisa que viabilizasse uma determinada condição: a de surfar durante os dias da semana sem maiores preocupações! Pode ser que sendo um astro de TV ou um homem de negócios bem-sucedido, você consiga satisfazer seu ego, obter prestígio e dinheiro, o que pode proporcionar outras coisas maravilhosas, como viagens, momentos de lazer incríveis e abundância material. Seja como for, são sonhos que todo mundo quer realizar.

Porém, no decorrer da caminhada, os sonhos vão se modificando, o que era importante deixa de ser, e é preciso fazer escolhas tal como focar a educação ou uma carreira de atleta profissional. Ainda, os caminhos imprevisíveis que a vida vai a todo momento apresentando podem tornar os sonhos cada vez mais distantes, até serem abandonados por completo. Eu mesmo tive que me afastar do prazer de surfar por décadas. De qualquer maneira, isso foi ótimo, porque percebi que alguns sonhos se modificaram, vários caminhos se apresentaram, mas o prazer de surfar não morreu dentro de mim e, mais tarde, pude retomar de onde havia parado e voltar a colocar essa prática esportiva na minha rotina. E na maior parte das vezes consigo praticá-la em dias de semana, em qualquer horário, o que me deixa muito feliz e realizado. Esse sonho foi resgatado!

Como vimos no capítulo anterior, o desenvolvimento das boas práticas de finanças pessoais é fundamental para que alguém possa melhorar a qualidade de vida. Vimos também que com educação financeira é possível usufruir mais e com mais qualidade do dinheiro e, em vez de se tornar seu escravo, tornar-se seu senhor; e, nesse processo, falamos também da liberdade que todo mundo pode alcançar.

É justamente agora que você deve se convidar a reencontrar aqueles sonhos que sempre quis realizar, mas que deixou de lado em função do medo de tentar e não conseguir. É a hora de colocá-los todos sobre a mesa, porque, seguindo as lições deste livro, você *vai* realizá-los com toda certeza! E eles precisam vir à tona, porque possuem papel crucial no seu desenvolvimento financeiro. O convite é este: tirar os sonhos do fundo das gavetas onde foram guardados e colocar todos na mesa, com a finalidade de realizá-los!

A primeira fase é realmente relacionar cada um dos sonhos num caderno ou numa planilha, tais como os exemplos a seguir:

Sonho	Detalhamento
Segurança financeira	Em caso de imprevistos e emergências, não prejudicar as contas do dia a dia.
Mudar de carreira profissional	Realizar uma mudança profissional para outra área de interesse sem aperto financeiro.
Casamento	Ter dinheiro para custear o casamento.
Compra de um imóvel	Adquirir a casa própria sem ter que pagar por outras 2 em forma de juros.
Fazer um curso no exterior	Fazer um curso de inglês ou uma pós-graduação no exterior.
Aposentadoria	Ter uma aposentadoria confortável, sem se preocupar com falta de assistência de saúde, de recursos para compra de medicamentos ou para subsistência.
Conhecer a Califórnia e o Havaí	Realizar uma viagem em família conhecendo a costa da Califórnia e, depois, o Havaí.
Educação dos filhos	Custear a educação dos filhos até a universidade.
Tirar um período sabático	Separar um período de 6 meses para o autoconhecimento.
Caridade	Contribuir mensalmente com obras assistenciais do bairro/cidade/estado onde mora.

Nesse primeiro momento, é importante que você deixe que as ideias surjam, de modo que possa fazer uma visita profunda a si mesmo e liste as coisas que gostaria de realizar.

Após relacionar tudo, é necessário estabelecer as prioridades, colocando os sonhos em ordem de importância. A ideia aqui é responder à seguinte pergunta: "Se eu não puder realizar tudo, quais são os sonhos prioritários?".

Depois de estabelecer as prioridades, é importante fazer uma estimativa de quanto cada um deles custa. Neste momento, não é necessário ser preciso nos valores, mas apenas ter uma ordem de grandeza.

Não precisa saber que determinado sonho vai custar R$ 34.398. Basta atribuir uma ordem de grandeza de, digamos, R$ 35 mil. Ou, então, algo entre R$ 30 mil e R$ 40 mil. Até porque o valor vai mudar com o decorrer do tempo.

Uma vez que as prioridades estejam estabelecidas e com os respectivos custos, é preciso estabelecer uma expectativa de quando realizar cada sonho. O prazo também pode se modificar um pouco ao longo do tempo e isso é natural. Mas é importante ter em mente que você está caminhando em direção à sua realização de verdade!

Uma dica imprescindível é que esses objetivos sejam discutidos em família, pois eles fornecerão não apenas direcionamento para cuidar das finanças de maneira eficiente, mas também para que os indivíduos envolvidos alinhem suas expectativas e desejos com relação aos demais e ao futuro.

Não queremos aqui com este livro fomentar que 2 pessoas que convivam sob o mesmo teto e que tenham optado por uma vida a 2 planejem, simultaneamente, viver na Austrália e no Caribe num mesmo prazo de 5 anos, pois isso poderia representar o fim do relacionamento. A discussão que queremos propor é algo saudável, que permita que cada indivíduo compartilhe seus sonhos e que todos estejam alinhados na realização das metas.

Depois de priorizar os objetivos, será possível chegar a uma tabela conforme esta abaixo:

Objetivo	Prazo	Valor necessário (em R$)[1]
Curso no exterior	2 anos	20.000
Casamento	4 anos	80.000
Aquisição do imóvel	8 anos	500.000
Aposentadoria	30 anos	1.000.000

---

1 Valores hipotéticos, já que cada um dos objetivos vai variar em função da realidade de cada indivíduo.

Repare que na tabela de exemplo foram selecionados apenas 4 objetivos. Esse seria o número ideal? Não necessariamente. O importante, no início do processo, é que o número de objetivos seja reduzido a algo entre 3 e 5, e que eles mesclem sonhos que possam ser realizados com valores menores e outros maiores, para que não fiquem todos muito "distantes dos olhos", ao ponto de sumirem da visão. Na medida em que você realizar os primeiros sonhos, sentir o gostinho da conquista, vai se motivar a ir atrás dos outros, um pouco mais distantes.

A sua primeira tabela de sonhos não é, portanto, uma tabela única que vai durar a vida inteira. Os sonhos se modificam em função das circunstâncias, por isso será importante revisitá-la de tempos em tempos e, na medida em que sonhos sejam realizados, inclua outros desejos, para assim ter uma vida de realizações.

A importância das metas!

Existe uma frase atribuída ao filósofo Sêneca (4 a.C.-65 d.C.) que diz: "Para quem não sabe que porto almeja não há ventos propícios".

Por certo que a atribuição de metas na vida financeira pessoal vai ter um poder transformador nas suas escolhas. As metas são as bússolas que podem guiar você nas decisões financeiras. E, quando falamos de decisões financeiras aqui, não estamos nos referindo apenas a grandes decisões como a compra da casa própria ou o recebimento de uma herança – que pode ser um carro velho usado ou uma casa de família de milhões de reais. Estamos falando das finanças no dia a dia. Estamos falando de todas as decisões diárias que você precisa tomar e que são decisões financeiras, desde as compras no mercado, a escolha da operadora e do plano contratado de celular, da TV a cabo, dos serviços de internet, da opção pelo ar-condicionado, do parcelamento na loja de roupas, enfim, todas as rotinas estabelecidas em seu dia a dia que estão cercadas de microdecisões financeiras.

Nesse contexto, não ter metas financeiras acarreta a automatização dos hábitos, sem qualquer reflexão, de maneira que a vida vira tão somente um jogo de sobrevivência, sem realizações. As metas constroem o propósito da vida e permitem sistematicamente que você se mantenha constantemente em evolução e ao mesmo tempo mensurando os avanços. Proporcionam, portanto, a ancoragem das ações do dia a dia, o norte para onde se deseja seguir, sem o qual você não é nada mais do que um barco à deriva em mar aberto.

Uma consequência provocada pela determinação das metas é o autoquestionamento sobre o seu real desejo. Toda vez que você agir em direção contrária ao que tiver definido como meta, faça uma das seguintes perguntas: "Será que eu desejo mesmo realizar esse objetivo? Então, por que estou fazendo algo que, em vez de me aproximar, me afasta da meta?" ou "Isso que estou fazendo agora vai me aproximar ou me afastar daquilo que eu defini como meta?" Essa reflexão é muito poderosa e pode levar você a buscar razões íntimas para atitudes contraditórias.

A criação de bons hábitos financeiros requer um trabalho profundo de autoconhecimento, pois esses dilemas estarão postos em diversas situações, do cotidiano ou não. O grande desafio nesse ponto é que o indivíduo perde automaticamente o direito de mentir para si mesmo e é obrigado a assumir as rédeas da própria vida financeira, tornando-se o único responsável pelos seus próprios hábitos e pela sua própria sorte. Sem a clareza necessária do que se deseja, o barco permanece sem rumo. E ter clareza não se resume a colocar as metas no papel. É importante entender que as metas no papel não são nada mais do que uma carta de intenções que cada indivíduo fará consigo mesmo. A clareza aqui se refere à adoção da conduta prática no dia a dia e no compromisso de realmente perseguir os sonhos e realizá-los. Se você se deparar com autossabotagem no caminho, talvez seja necessária uma ajuda psicológica. É preciso remover os obstáculos que impedem você de progredir, e eles certamente não são apenas de ordem financeira.

> ## Quais são realmente as suas prioridades na vida?

NO FINAL DAS CONTAS, É TUDO UMA QUESTÃO DE ESCOLHA!

Gustavo Cerbasi, um dos mais renomados profissionais de educação financeira do Brasil, frequentemente recorre ao uso da seguinte frase em seus conteúdos: "Enriquecer é uma questão de escolha".

Comprar 8 carros pagando por 8 carros realmente parece uma escolha melhor do que pagar por 24 e obter 8. Comprar 1 imóvel pagando apenas por 1 também parece ser uma escolha melhor do que pagar por 3 e levar apenas 1.[2] Você consegue perceber o quanto atitudes assim, quando multiplicadas pelas milhares de interações financeiras que faz durante a vida, podem realmente fazer uma grande diferença? É flagrante como essas diferenças podem ser gigantescas ao longo de uma vida, e 2 pessoas com a mesma remuneração po-

---

2   Alguns leitores poderão pensar: "Mas eu nunca vou juntar R$ 200 mil e comprar meu primeiro imóvel"; ou, baseados no senso comum, vão conceber: "Vou juntar o máximo de dinheiro que puder e, quando surgir a oportunidade de juros baixos, dou uma entrada grande e parcelo o restante do valor da casa/do carro em suaves prestações". Mais para a frente neste capítulo e também em capítulos seguintes, esmiuçaremos esses assuntos quando falarmos de cesta de consumo, acúmulo de ativos e de como o dinheiro pode trabalhar para você. O Capítulo 11 fala exclusivamente do sonho da casa própria.

dem ter vidas financeiras muito diferentes simplesmente por conta de escolhas como essas.

Mas, então, por que muitos optam frequentemente por pagar muito mais para obter as mesmas coisas? A resposta é simples: tão somente por uma questão de escolha. Se você pode pagar 3 carros para ter 1, então podemos concluir que o problema não pode ser dinheiro. É claro que alguns podem argumentar que "é possível encaixar suaves prestações no orçamento, enquanto que para pagar à vista é preciso ter um capital elevado, o que normalmente a maioria das pessoas não possui". Esse raciocínio é compreensível, porém matematicamente continua sendo a mesma coisa: pagar 3 em vez de 1. E, se o problema é encaixar nas prestações, por que não encaixar "prestações" para si próprio, separando o dinheiro numa conta de aplicação financeira? Trataremos disso nos próximos capítulos.

No exemplo do Capítulo 1, fizemos um exercício em que um indivíduo financiaria seu primeiro carro aos 25 anos, e outros sucessivamente até os 60 anos, financiando 1 novo a cada 5 anos. E se, em vez de comprar o carro aos 25, ele escolhesse fazê-lo aos 30, pagando as "prestações" do financiamento a si próprio numa aplicação financeira, o que aconteceria? Você pode pensar: "E como ele se desloca durante esses 5 anos? Vai gastar mais em aplicativo de carro, se o transporte público onde morar for ruim". O gasto em corridas de aplicativo é flexível, podendo ser administrado, diminuído ou ampliado conforme as condições. Um financiamento de 5 anos é fixo, líquido e certo,[3] e ainda precisa ser somado aos custos de IPVA, manutenção, combustível.

---

3   No Capítulo 4, aprofundaremos esse debate sobre custos fixos e variáveis, perda de flexibilidade no orçamento pelo comprometimento de longo prazo, aumento do risco financeiro e dependência extrema do emprego que financiamentos de longo prazo trazem.

Simplesmente, essa escolha de pagar "prestações" a si mesmo e comprar um carro 5 anos depois permitiria ao indivíduo criar um processo de poupança mensal para a troca de carro de maneira que esperaria 5 anos para ter o primeiro veículo e, posteriormente, manteria as "prestações" para si próprio, comprando sempre à vista a cada fim de ciclo de 5 anos. Fazendo essa escolha, o indivíduo poderia, ao comprar o último carro novo aos 65 e não mais aos 60, ter pagado todos à vista, sem gastar absolutamente nada com juros de financiamento em todo o processo. Ou seja: teria 8 carros pagando pelo preço de 8 carros e não pelo de 24. Considere apenas para exercício que o custo de cada carro seja de R$ 50 mil,[4] então seriam R$ 400 mil de gasto com carros numa vida *versus* R$ 1,2 milhão da escolha pelo financiamento – uma diferença considerável de R$ 800 mil que a pessoa poderia guardar em aplicações financeiras, simplesmente em função da escolha feita.[5]

Se não ficou claro porque sobrariam R$ 800 mil ao final do processo, vale a pena lembrar que, pelo exercício hipotético, o indivíduo pagaria de prestação a si mesmo o mesmo valor que pagaria ao banco no caso de um financiamento, mas ele não entregaria juros nenhum ao banco, pois compraria o carro à vista. Sendo assim, todo o gasto com o que seria a parte dos "juros da parcela" ficaria em sua própria conta.

Diante disso, o que se torna preferível ao final de um período de 40 anos gastando exatamente a mesma coisa?

► Ter 8 carros durante o período e nada mais ou

---

4   Certamente o indivíduo pode dar o carro anterior como entrada e reduzir o valor financiado. Mas, para efeito de estudo, considere que o indivíduo com esse hábito sempre vai querer uma versão melhor nas compras seguintes e sempre financiará o mesmo valor.
5   Considere que, se encontrar uma situação com taxa menor que essa, não se trata de uma oportunidade – ou seja, não use os cálculos desta nota como incentivo para fazer um financiamento por impulso.

- ▶ Ter 8 carros durante o período e mais R$ 800 mil em aplicações financeiras?

Acho que não restam mais dúvidas sobre o poder de uma boa escolha financeira. A grande questão dos juros é que as pessoas se habituam com ele e o transformam num companheiro frequente que mensalmente retira um pedaço do orçamento. Poucos conseguem perceber o quanto essa atitude pode ser perversa no longo prazo. No final das contas, se os juros não forem dominados, você pode passar uma vida trabalhando para pagar apenas juros e impostos, vivendo apenas com as sobras. Esse definitivamente não é um estilo de vida financeiramente saudável, tampouco inteligente.[6]

O grande desafio é conter a ansiedade que acompanha a renúncia do prazer que um gasto imediato traria; para muitos, pode parecer incerto agir em função da promessa de um benefício no futuro. Porém, mais incerto parece ser o futuro daquele que não controla esses impulsos de consumo e não consegue fazer boas escolhas. O que você precisa ter em mente é que não se trata apenas disso. Trata-se de construir um hábito saudável que, decorrido um pequeno prazo inicial correspondente aos primeiros anos de uma boa conduta, vai gerar benefícios significativos durante décadas, por toda a vida, pois o orçamento só vai melhorando a cada mês – falaremos sobre orçamento nos próximos capítulos –, gerando uma realidade financeira poderosa.

---

6   Se você, leitor, estiver pensando "Mas e se aparecer uma promoção com juros muito baixos?", considere: uma oportunidade no mercado não deve ser motivo para justificar uma aquisição. Estudos amplamente documentados sobre economia comportamental mostram que determinados gatilhos podem dar a sensação de bom negócio sem sê-lo. Deixar-se guiar por campanhas de marketing e vendas é justamente o oposto do que deve ser o comportamento desejado para finanças saudáveis. O pensamento deve ser: "Pretendo comprar um carro de R$ 30 mil. Quando eu poupar R$ 30 mil, olho o que tem disponível e se se adequa às minhas necessidades nessa faixa de preço". A pesquisa para a aquisição já definida e dinheiro disponível é uma coisa; tentar achar timing de mercado é outra, contraproducente e potencialmente danosa.

Metas são fundamentais porque colocam você em confronto com seu íntimo na descoberta do que realmente entende que são seus objetivos e se realmente está comprometido em priorizá-los. Assim, as metas vão levá-lo a fazer escolhas financeiras do dia a dia que sejam adequadas ao alcance de seus resultados. E essas escolhas geram bons hábitos financeiros que potencializam a capacidade de realização cada vez maior de mais e mais objetivos que você tenha ao longo da vida.

É exatamente por isso que os objetivos são a bússola. Sem objetivos, como faríamos escolhas? E como teríamos bons hábitos sendo que nem teríamos parâmetros para entender o que seriam esses "bons hábitos"? Ou seja: sem objetivos, nada mais somos que baratas tontas tomando decisões aleatórias e tentando sobreviver dia a dia ao sabor dos ventos. E não é isso que queremos aqui, estudando as ideias deste livro.

A META OBRIGATÓRIA

Durante a vida, as metas vão se modificando de acordo com a simples evolução da idade; no entanto, existem algumas fases comuns a todos nós, que são fruto do ciclo natural da vida. Dessa maneira, uma meta que vai existir e precisa ser tratada em algum momento é a aposentadoria, por exemplo. É importante observar que planejar a aposentadoria não é exatamente o planejamento de enriquecimento, mas sim de como custear a sua realidade pós-capacidade produtiva.

Para tornar mais clara a visão da aposentadoria como um custo, acompanhe o seguinte raciocínio: durante o início da vida, somos normalmente "custeados" pelos nossos familiares até que entremos no mercado de trabalho e comecemos a dar os primeiros passos para alcançar a autossubsistência. A partir desse momento, podemos imaginar 2 contas simples: quanto é necessário para viver por toda a vida e quanto se vai receber durante toda a vida. Essa conta normalmente é feita mensalmente ("gastar menos do que ganha"), mas isso é insuficiente. Digamos que hoje você tenha uma renda mensal de R$ 10 mil, 35 anos e custo mensal compatível com a renda. Considerando uma expectativa de vida hipotética até os 85 anos, são 50 anos de necessidades. Desconsiderando o efeito da inflação e trazendo tudo a valores atuais, teria um custo total de vida de R$ 6 milhões. Suponha que você se aposente aos 70 anos e, a partir de então, passe a receber R$ 5 mil de aposentadoria do INSS. Então a sua renda total será de R$ 10 mil dos 35 até os 70, somando R$ 4,2 milhões, e R$ 5 mil dos 70 aos 85, somando R$ 900 mil, totalizando a renda em R$ 5,1 milhões. Repare que nessa situação faltam R$ 900 mil para completar os R$ 6 milhões que representam o seu custo de vida total, e isso vai fazer falta no futuro. Ou seja: existe um valor descoberto que precisa ser considerado.

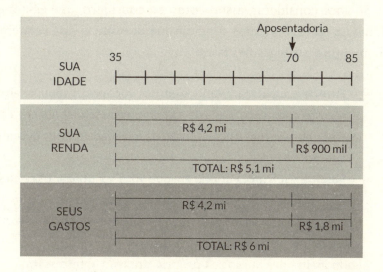

Por isso é necessário constituir, durante a vida, uma reserva financeira que ajude a custear a velhice, até porque as necessidades podem ser maiores, especialmente com gastos relacionados à saúde. Nesse nosso exemplo, você teria que guardar, durante os 35 anos de trabalho, um valor de R$ 2.142 por mês para preencher a lacuna deixada e, assim, garantir uma aposentadoria sem perda de qualidade de vida.

Estamos desconsiderando aqui tanto o potencial de rendimento das aplicações financeiras em todo esse período – trataremos disso nos capítulos finais – quanto a desvalorização do dinheiro frente à inflação ao longo do tempo. O intuito principal é mostrar que existe uma lacuna que precisa ser preenchida e que essa situação deve ser também planejada. Isso significa que o planejamento da aposentadoria já é um objetivo que tem que ser incluído nas metas porque essa é uma necessidade imposta pela natureza, sendo, portanto, uma meta obrigatória.

Se você considerar, assim como eu considero, que essa meta é líquida e certa, podemos concluir que durante a vida estaremos sempre numa das seguintes fases:

- ▶ **Fase de acumulação:** Período em que você precisa poupar algum recurso com a finalidade de formar uma reserva financeira que o permita custear a manutenção da qualidade de vida durante a aposentadoria.
- ▶ **Fase de usufruto:** Período em que você vai utilizar os recursos acumulados ao longo da vida para sua aposentadoria ou uma situação de afastamento do trabalho ou um período sabático.

Sendo assim, avaliando sua própria situação, é necessário:

- ▶ Se ainda não estiver aposentado, então está na fase de acumulação e precisa obrigatoriamente ter uma estratégia para a aposentadoria;
- ▶ Se estiver aposentado, então está na fase de usufruto; caso tenha feito o dever de casa, pode contar com o que acumulou na fase anterior, mas, em caso negativo, precisa de ainda mais atenção aos próximos capítulos, para que possa administrar bem suas finanças.

Resumo do capítulo:

- ▶ O objetivo de saber lidar com o dinheiro é realizar os objetivos de vida.
- ▶ Para realizar os objetivos de vida, é preciso estabelecer metas.
- ▶ Retire os sonhos do fundo da gaveta e relacione-os um a um.

Metas financeiras: a bússola de que você precisa! 43

- ► Priorize os sonhos transformando-os em metas.
- ► Faça uma estimativa do custo de cada meta e determine o prazo de realização de cada uma delas.
- ► Objetivos geram a necessidade de fazer boas escolhas.
- ► Boas escolhas geram bons hábitos.
- ► Bons hábitos realizam sonhos.
- ► A aposentadoria é uma meta obrigatória.

As metas são fruto de uma reflexão interna profunda e ancoram todo o desenvolvimento financeiro pessoal!

Capítulo 3

COMO ORGANIZAR SUAS FINANÇAS NA PRÁTICA: ORÇAMENTO

É importante que, para um bom desempenho financeiro pessoal, você enxergue a necessidade do desenvolvimento técnico em finanças, que se refere ao conhecimento sobre orçamento, dívidas, juros, além do entendimento de alguns indicadores pessoais. Porém, como já vimos em capítulos anteriores, o aspecto comportamental também é determinante, pois é a partir de bons hábitos que as finanças podem entrar nos trilhos e realizar sua função mais nobre, que é proporcionar qualidade de vida e a realização dos sonhos.

Ter conhecimento do que deve ser feito, portanto, não é suficiente. É preciso também executar. É preciso:

- ▶ Viver as finanças pessoais no dia a dia de maneira a diminuir os hábitos que não levam você para a frente;
- ▶ Aumentar os bons hábitos.

Organizar as finanças requer, inicialmente, ter entendimento sobre orçamento e, dentro do orçamento, ver que fatores comportamentais estão intimamente relacionados, e certamente a leitura deste livro vai conduzir você a um bom caminho.

Em todo processo de planejamento, seja pessoal ou empresarial, é preciso estabelecer com clareza o ponto aonde se quer chegar, e já falamos sobre isso no capítulo passado. Levando essa ideia para uma viagem de carro, podemos estabelecer que você tem um objetivo – por exemplo, chegar à cidade do Rio de Janeiro. Para traçar o plano e verificar quanto tempo deve gastar e as melhores rotas, existe a necessidade de uma informação: saber de onde será a partida! Obviamente que para um morador de Salvador a rota será diferente daquela traçada por um morador de Porto Alegre. Então, a princípio, é preciso saber onde você está no momento, para só então trabalhar no roteiro que vai levá-lo ao Rio de Janeiro.

Levando essa ideia para o planejamento, podemos chamar esse processo de saber onde estamos de "diagnóstico da situação atual". É preciso, portanto, não apenas saber aonde quer chegar, mas também onde está no presente momento. Isso parece óbvio, mas o normal da pessoa sem conhecimentos de finanças pessoais é não ter a noção de onde exatamente está. Prova disso é que fazer contas aproximadas mentalmente achando que cada uma daquelas despesas que aparecem (incluindo aquele *happy hour* do início do livro) sempre vão caber no orçamento – e no final das contas o que ocorre é a surpresa (ruim) com a fatura do cartão de crédito. Pensando racionalmente, como pode um indivíduo se surpreender com a fatura do cartão de crédito quando foi ele mesmo que fez cada um dos gastos apresentados ali? A resposta é simples: isso ocorre justamente porque a maioria das pessoas não conhece a própria situação.

E o que você deve fazer então para conhecê-la? É complicado? Não, não é complicado, mas pode exigir um pouquinho de atenção e esforço no início. Lembre-se: estamos juntos nesta empreitada atrás da qualidade de vida e de uma vida financeira que lhe permita realizar sonhos. De partida, precisamos compreender em qual dos 3 grupos financeiros você está.

Os 3 grupos financeiros

Existem 3 grupos financeiros possíveis para cada indivíduo, e saber em qual deles você está é essencial para traçar a rota em direção aos objetivos. Vamos a eles:

- **Grupo A: Poupadores** – Grupo formado por pessoas que se enquadram naquele chavão que utilizamos lá no primeiro parágrafo: "Não devemos gastar mais do que ganhamos". E, por esse motivo, mensalmente lhes sobra dinheiro, o qual é destinado para alguma aplicação financeira, seja a caderneta de poupança ou alternativas mais sofisticadas. É importante alertar que ser poupador não é sinônimo de aplicar na caderneta de poupança, mas sim de ter a capacidade de guardar parte do recurso recebido. É o grupo em que todos almejam estar.
- **Grupo B: Trocadores de cebola** – Grupo de pessoas que gastam tudo o que ganham. Elas não gastam mais do que ganham, mas também não gastam menos do que ganham e, assim, conseguem custear seu estilo de vida sem problemas, mas não criam o hábito de poupar para o futuro. Ou seja: vão à feira levando uma cebola no bolso e, chegando lá, trocam-na por uma outra cebola igual e voltam para casa.
- **Grupo C: Deficitários** – Grupo daqueles que fazem justamente o oposto do chavão. Gastam mais do que ganham e, naturalmente, se metem em enrascadas por conta disso.

Agora, com os 3 grupos em mente, é preciso saber em qual deles você se enquadra. E a forma de afirmar isso com certeza é justamente por meio do acompanhamento do orçamento, porém há sinais que podem nos dar pistas:

- **Tem dívidas:** Provavelmente está enquadrado no grupo dos deficitários ou no grupo dos trocadores de cebola.
- **Não tem dívidas nem investimentos:** Provavelmente está enquadrado no grupo dos trocadores de cebola.
- **Tem dívidas e investimentos:** Essa situação é inconclusiva. O indivíduo pode estar tanto no grupo dos poupadores quanto no de trocadores de cebola, ou ainda no dos deficitários. É preciso se aprofundar mais no orçamento para compreender melhor.
- **Tem investimentos e não possui dívidas:** Provavelmente está enquadrado no grupo dos poupadores.

Os poupadores já têm o hábito de poupar e com isso estão num caminho de realização de sonhos e enriquecimento. Digamos que Augusto, um arquiteto autônomo que mora sozinho, ganhe R$ 5 mil todos os meses e gaste R$ 4 mil entre os gastos com moradia, alimentação e lazer. Os R$ 1 mil que sobram ele adiciona numa aplicação financeira, porque seu sonho é tirar um ano sabático e conhecer o mundo. Mensalmente o montante aplicado vai ampliando, tanto por conta das novas aplicações de R$ 1 mil quanto pela rentabilidade da aplicação. Dessa maneira, o patrimônio dele aumenta mês a mês. Nesse exemplo, no final de 12 meses Augusto terá R$ 12 mil aplicados (mais os juros), mais que o dobro de sua própria renda de R$ 5 mil e o triplo de seu gasto mensal de R$ 4 mil. Com isso, Augusto é um poupador e está enriquecendo, pois segue acumulando patrimônio, e também está atrás da realização dos sonhos, já que a capacidade de guardar é o que vai garantir que os realize.

Os trocadores de cebola possuem um ponto positivo: ao gastar tudo que ganham sem gastar mais do que ganham, não acumulam dívidas, e isso é um ponto importante. Muitos deles podem possuir um estilo de vida elevado, e isso se mantém pela sua renda. Seria um indivíduo que possui a mesma renda de R$ 5 mil que mencionamos acima e que gasta todos os R$ 5 mil. Alguns trocadores de cebola dirão que a vida é feita para ser vivida. De fato, não podemos discordar disso; aliás, é por isso que estamos dedicando nosso tempo aqui, ao estudo das finanças. Porém, há alguns pontos de atenção nessa conduta. O primeiro deles é quando ocorrem emergências. Se o trocador de cebola gasta tudo que tem, como ele lida com imprevistos? Lembrando que esses imprevistos podem ser relacionados tanto a gastos com saúde como a gastos oriundos de uma simples batida de trânsito. Outro fator de surpresa e que pode prejudicar muito o trocador de cebola é uma eventual redução na renda, seja pela perda do emprego, por situações econômicas ruins ou mesmo por mudanças específicas no seu mercado de atuação. Dessa maneira, o trocador de cebola, embora possa ter um estilo de vida agradável, está exposto a riscos que um poupador não está; além disso, não tem plano de realização dos sonhos, já que não acumula nada. Sua subsistência está totalmente associada à sua renda e assim ele vai vivendo. Não constrói patrimônio, não realiza sonhos mais ambiciosos e, embora possa não parecer, está vivendo no limite.

Os deficitários, por sua vez, estão numa rota de empobrecimento que precisa ser encerrada o quanto antes. Se consideramos que os poupadores estão acumulando patrimônio e, consequentemente, enriquecendo ao longo do tempo, os deficitários estão perdendo patrimônio e empobrecendo. E, mesmo que comprem um carro, uma casa ou muitos equipamentos eletrônicos, continuam empobrecendo. Usando a mesma renda de R$ 5 mil, imaginemos um indivíduo que gaste R$ 6 mil por mês. Passado o primeiro mês, a conta não fecha – e o que ele precisa fazer para arcar com os R$ 1 mil que faltaram? Fazer um empréstimo. Só que como um indivíduo que não consegue sobreviver com R$ 5 mil e tem dificuldades para honrar despesas de R$ 6 mil será capaz de arcar com mais um compromisso, que seria a parcela do empréstimo contraído? Digamos que o indivíduo tenha feito um empréstimo de R$ 1 mil numa taxa de 1% ao mês e parcelado em 36 vezes de R$ 33. Então, no mês seguinte, ele receberá R$ 5 mil e gastará novamente R$ 6 mil mais os R$ 33 da parcela. Assim ele precisará de mais um empréstimo para cobrir esses R$ 1.033 de furo no orçamento e fará um novo parcelamento em 36 vezes de R$ 35. E mais um mês se passa, e agora ele precisa arcar com um rombo não mais de R$ 1.035, mas de R$ 1.068. E assim sucessivamente, mês a mês.

Fica claro que nesse processo, a cada mês, são necessários mais empréstimos para custear não apenas o rombo, mas também as parcelas de empréstimos contraídas, gerando o efeito da bola de neve. A cada mês o deficitário deve mais ao banco, tornando-se mais pobre. Para piorar a situação, as linhas de crédito vão se tornando cada vez mais difíceis, e então ele começa a recorrer a fontes de empréstimo de juros mais elevados, como o cheque especial e o rotativo do cartão de crédito. O processo continua, e num dia as fontes de crédito se esgotam e a única saída para o indivíduo é tornar-se inadimplente em algumas de suas contas, ter o nome negativado e cada vez menos

50 Finanças na vida real

acesso a soluções. Por isso, no caso dos deficitários, não há outra solução que não a adoção de corte urgente de gastos no orçamento para equilibrar as despesas e as receitas. Caso você faça parte do grupo dos deficitários, agora sabe onde esse caminho pode desembocar, e, mesmo que ainda não tenha chegado a tal ponto de estresse, é preciso corrigir o rumo rapidamente. Nos próximos capítulos, veremos dicas de como fazer cortes no orçamento com inteligência.

Elaborando o orçamento

Para que você identifique oportunidades de melhoria e faça um diagnóstico mais preciso da sua situação, o orçamento é a ferramenta ideal. Existem componentes comportamentais que impedem algumas pessoas de fazer o orçamento. Um deles é o medo de encarar a realidade. O que é o orçamento senão uma maneira de enxergar o seu comportamento no espelho? Muitos sabem que, ao fazer esse exercício, poderão enxergar-se no espelho tal como o Capitão Caverna, aquele desenho animado antigo. E mudar a situação significa mudar a si mesmo, e nem todo mundo está disposto a isso. Então é necessário pegar o Capitão Caverna que há dentro de cada um, cortar e pentear os cabelos, cortar as unhas, dar banho e colocar uma roupa decente até que traga à tona uma imagem mais agradável no espelho das suas finanças.

Outra dificuldade com o orçamento é quando o indivíduo se dedica a elaborar planilhas complicadas, organizar tudo, dedica muito tempo, e, no final do primeiro mês, tudo acontece completamente diferente do planejado, e a frustração de não ver resultado na tarefa o leva a abandoná-la. Quantos de nós já não passamos por isso? É aquela sensação de "agora vai!", mas no final das contas acabamos desistindo e "deixando as finanças para lá". Isso acontece porque elaboramos orçamentos que não são reais. Pensamos que estamos elaborando um orçamento, mas, na verdade, estamos escrevendo um roteiro de ficção sem qualquer respaldo na realidade. Veremos em breve como fugir dessa armadilha e realmente criar planos reais que você possa levar adiante.

A primeira coisa que é preciso fazer para construir o orçamento é compreender qual é a sua renda mensal. A renda mensal é composta de todas as suas fontes de recursos, tais como salários, comissões e outras receitas (aluguéis, bonificações etc.).

Numa folha de papel, relacione suas receitas.

Receitas	Valor
Salários	R$
Comissões	R$
Outras rendas	R$
...	R$
...	R$
Total das receitas	R$

Não sabe se considera o salário bruto ou o salário líquido nas suas fontes de renda? A ideia do orçamento, num segundo momento, será entender como tomar decisões financeiras a seu favor, e isso só pode ser feito com os recursos que tiver sob seu poder; assim, a renda que você deve verificar é justamente aquela sobre a qual tem controle e que pode decidir como usar. Então, usar a renda líquida faz mais sentido para o cálculo. Porém, há ressalvas. Existem situações em que um indivíduo pode adquirir produtos e serviços que são descontados direto na folha de pagamento. O que considerar, então, como salário líquido?

O salário líquido deve ser calculado tomando-se o salário bruto e diminuindo-o de acordo com os descontos incidentes sobre o salário, tais como INSS, IRPF (imposto de renda retido na fonte), desconto de vale-transporte, vale-alimentação ou vale-refeição. Para efeito de orçamento, não se devem abater da conta de salário líquido outros descontos em folha, tais como planos de saúde, previdência complementar, empréstimos consignados e outros, porque esses custos são voluntários e estão ali descontados apenas por uma questão de conveniência, já que nada impede que possam ser remanejados de acordo com a vontade do empregado.

Vejamos abaixo o espelho de um holerite hipotético:

Código	Descrição	Proventos (em R$)	Descontos (em R$)
001	Salário-base	3.002,00	
002	INSS		330,22
003	Desconto de vale-refeição		0,34
004	Desconto de vale-transporte		0,33
005	Desconto de vale-alimentação		0,33
006	IRPF		57,58
007	Plano de saúde		350,00
008	Parcela de empréstimo consignado		150,00
Total (em R$)		3.002,00	888,80
Líquido (em R$)		2.113,20	

No exemplo acima, o valor creditado na conta do colaborador será de R$ 2.113,20. Então esse deveria ser considerado como o salário líquido? Não. As despesas 007 e 008, referentes ao plano de saúde e à parcela de empréstimo de crédito consignado, não são descontos pertinentes à remuneração, mas sim despesas que estão no holerite por conveniência e são fruto de decisões do indivíduo de contar com um plano de saúde e de contrair empréstimo. Dessa maneira, o salário líquido a ser considerado nesse caso, para efeitos de orçamento, seria de R$ 2.613,20.

No caso de comissões, é importante lembrar que elas sofrem normalmente alguma variação. Dependendo da profissão, elas podem variar muito de um mês para o outro. Há, porém, atividades em que as comissões variam pouco. Então, como orçar as receitas provenientes das comissões? Um modo é verificar a remuneração dos últimos doze meses, fazer uma média mensal e tomar esse valor como referência. No entanto, isso também pode gerar problemas. Imagine que um indivíduo receba um salário de R$ 3 mil todo mês e normalmente ganhe mais R$ 2 mil em comissões. Num mês extraordinário, ele fecha um grande negócio com comissão de R$ 12 mil. Nesse caso, teríamos uma remuneração anual de comissões de R$ 36 mil, o que daria uma média mensal de R$ 3 mil. Porém, durante todo o restante do ano, a comissão é, normalmente, de R$ 2 mil, de maneira que o orçamento feito dessa forma só será um espelho da realidade se houver a certeza de um grande negócio assim por ano.

Outra forma seria, em vez de considerar a média, considerar a moda. Em estatística, a moda de uma série de dados é aquele resultado que mais se repete. Assim, nesse mesmo exemplo, embora a média fosse R$ 3 mil por mês, a moda seria R$ 2 mil. E, por fim, a mais prudente de todas as formas seria considerar a menor remuneração de comissões recebida. Um orçamento feito dessa maneira seria tremendamente seguro e com grande potencial de proporcionar um excelente desempenho financeiro. Se você adotar a menor das remunerações variáveis, sabemos que é grande a chance de sempre ter uma renda dali para cima.

As bonificações, como ocorrem normalmente sem regularidade e algumas poucas vezes por ano, não devem ser consideradas para efeito de orçamento. Não contar com bonificações permite ao indivíduo que receba esse "extra"como uma recompensa pela contribuição com a empresa em que trabalha e, assim, usufrua do bônus da mesma maneira, pois ele estará desobstruído e poderá ser usado para a pessoa se presentear e / ou para poupar.

Agora que já temos a identificação das receitas com clareza, vamos à identificação das despesas, conforme exemplo abaixo:

Despesas	Valor
Condomínio	R$
Educação (cursos)	R$
Academia	R$
Luz	R$
Mercado	R$
Limpeza (diarista)	R$
Salão de beleza	R$
Restaurantes	R$
TV a cabo e internet	R$
Telefone e celular	R$
Plano de saúde	R$
Combustível	R$
Financiamento do carro	R$
Financiamento do imóvel (ou aluguel)	R$
Empréstimo consignado	R$
Seguros	R$
Lazer	R$
Outros gastos	R$

Cada indivíduo tem um perfil de gastos diferente, e pode ser que a lista desses custos informados na tabela não lhe sirva integralmente, mas forneça uma visão prática de como fazer. Uma vez que as despesas estejam relacionadas, é preciso estabelecer os objetivos de gastos em cada uma delas para, em seguida, montar o orçamento.

Etapas acima concluídas, você terá uma estimativa que vai enquadrá-lo num dos 3 grupos: poupadores, trocadores de cebola ou deficitários.

Receitas	Despesas
Renda A	Despesa A
Renda B	Despesa B
Renda C	Despesa C
	Despesa D
	Despesa E
	Despesa F
	Despesa G
	Despesa H
	Despesa I
	Despesa J
Total das receitas – R	Total das despesas – D

Considerando o total de receitas como R e o total de despesas como D, você terá:

- ▶ Se R > D: Grupo poupador;
- ▶ Se R = D: Grupo trocador de cebola;
- ▶ Se R < D: Grupo deficitário.

Existe um grande risco que precisa ser eliminado nesse momento: o risco da frustração. Quando você faz todo o trabalho de planejamento de suas despesas, estimando-as para o mês seguinte, é quase certo que se depare com uma realidade dura: as estimativas fatalmente se mostrarão completamente equivocadas. Não é incomum ser excessivamente otimista na hora de fazer o orçamento, motivado pelo real desejo de ver as contas fecharem a contento. A planilha aceita tudo! Quando a realidade se apresenta, você pode se frustrar. Imagine ter estimado uma determinada categoria em R$ 500 num período de trinta dias e, quando a vida começa a acontecer, ainda no dia 10, os R$ 500 daquela mesma categoria já se foram. Pode ser que aquilo que você imaginou que seria R$ 500 vire R$ 1.500, ocasionando um desastre em todo o planejamento. E como fazer para evitar esse tipo de situação? É o que veremos agora.

CESTA DE CONSUMO, TEORIA E REALIDADE

Para evitar a frustração proveniente da elaboração de um planejamento que não se comprova na realidade, é preciso voltar ao exercício do espelho novamente e conhecer os seus hábitos financeiros reais. A grande diferença entre o orçamento planejado e a realidade está justamente na diferença entre a ideia que você faz de seu comportamento e o seu real comportamento. E um erro comum é, no momento da elaboração do orçamento, normalmente só se lembrar com clareza das despesas fixas, tais como o condomínio, a parcela do carro, a mensalidade do celular ou da TV a cabo, mas não ter ideia clara sobre aquelas outras despesas que vão se desenrolando ao longo do período, como mercado, restaurantes, lazer, supérfluos e todas as outras que não têm um valor definitivo, fixo e de fácil observação. Isso se justifica porque parte das despesas fixas não representa o seu comportamento; elas ocorrem independente dele. A taxa do condomínio não se modificará se o seu comportamento for de um jeito ou de outro. Já a despesa com lazer, restaurante e supermercado, sim. E é aí que você precisa ter a máxima atenção.

O primeiro passo para ultrapassar essa dificuldade é conhecer a sua cesta de consumo. A cesta de consumo é o conjunto de produtos e serviços que um indivíduo ou uma família consome durante o mês. Consideremos a educação:

Indivíduos que fazem faculdade ou pós-graduação particular e, por isso, dentro de sua cesta de consumo está o item educação.

Indivíduos que não estudam, porém custeiam a educação dos filhos, portanto a educação também faz parte de sua cesta de consumo.

Indivíduos que já concluíram os estudos formais, não têm filhos (ou filhos que sejam dependentes) e fazem cursos eventuais. Nesse caso, o peso da educação na cesta de consumo será menor.

Os itens podem ser muitos. Existem indivíduos que possuem a casa própria, tendo que arcar com o financiamento ou com nada, caso o imóvel esteja quitado; e existem indivíduos que pagam aluguel. Existem pessoas que moram perto do trabalho e se deslocam a pé, podendo renunciar ao carro e aos custos associados; outras residem a 15 km do trabalho e precisam diariamente se deslocar em carro próprio e arcar com os respectivos custos adjacentes. Existem aqueles que almoçam todos os dias em restaurantes e aqueles que almoçam todos os dias em casa. Aliás, existem os que trabalham em casa. Note, portanto, que a cesta de consumo é realmente individual, e a lista de despesas vai variar de pessoa para pessoa assim como o próprio peso desses custos em cada orçamento. Duas pessoas podem ter gastos com transporte, mas uma pode gastar 1% de sua despesa com esse item enquanto a outra gasta 5%. É justamente aqui que entra a necessidade de personalização do orçamento: cada indivíduo e cada família possuem cestas de consumo diferentes, e por isso os orçamentos serão necessariamente diferentes.

E como você passa a conhecer a sua cesta de consumo? Não faça nada! Esqueça tudo que foi dito até o momento. Não perca tempo relacionando as despesas. Relacione apenas aquelas que são fixas e com valores precisos. Quanto às demais, a solução será a seguinte:

em vez de tentar estimá-las num exercício de adivinhação que dificilmente se mostrará compatível com a realidade, apenas anote todas, uma a uma, durante um período de 30 dias, para ver o que acontece. Ao separá-las em categorias, você será capaz de realmente verificar quanto gasta em cada uma delas.

Isso pode ser feito anotando tudo num caderno, numa planilha ou num app de celular – de acordo com a preferência –, mas precisa ser feito. Aliás, o aplicativo de notas do celular pode ser o local mais fácil de registrar isso no dia a dia. Talvez seja difícil controlar tudo, como anotar o gasto do café, do sorvete e de outras miudezas. Daí já podem começar a surgir ideias para facilitar a tarefa, tal como pagar todas as despesas no cartão de débito (ou crédito, se você for controlado), para que nada se perca e o trabalho seja facilitado. Mas é fundamental que seja feito.

O resultado dessa tarefa será a visão tanto da cesta de consumo quanto a observação do quão feio ou o quão bonito é o seu Capitão Caverna. Mas tenha a certeza de que esse aí é o comportamento real e lhe permitirá, a partir de então, planejar os meses futuros baseando-se na realidade e não mais na imaginação de como seriam seus gastos.

Nada o impede de, ainda que ciente da importância de passar um período anotando os gastos reais que realiza, fazer uma estimativa completa de gastos. Porém, agora está claro que ela não pode ser considerada tão confiável, e esse conhecimento já traz um ganho enorme para toda a evolução financeira e comportamental: você não vai ficar frustrado ao perceber que os números da realidade são bem diferentes da primeira estimativa e que não é prudente estruturar planilhas complexas para o ano todo antes de conhecer a realidade. A realidade precisa ser uma matéria-prima da "indústria de transformação pessoal financeira", não uma inimiga. É a partir dessa matéria-prima que você vai trazer as estimativas para a realidade e incorporar as novas informações trazidas a cada momento, para assim tornar o seu orçamento cada vez mais eficaz.

Planejamento (orçamento) e realidade (resultado)

A elaboração do orçamento não deve ser confundida com a realidade a acontecer, mas sim uma declaração de intenções de como cada um pretende se relacionar com os recursos que administra num determinado período. Existe um segundo momento que é a execução do orçamento, que é quando o mês está realmente acontecendo e como as pessoas vão gerenciando o dia a dia dos gastos. E, por fim, existe o resultado – que é a realidade. Assim, é preciso que se entenda a existência desses 3 momentos e como eles diferem entre si.

Montar o orçamento é uma fase de planejamento. É quando você coloca parâmetros para lidar com as despesas dentro daquilo que entende que é possível e faz o balanço necessário entre qualidade de vida presente e responsabilidade financeira para o futuro. Se seu orçamento diz que você pretende gastar R$ 1.500 com compras no mercado, isso ainda é um plano, não uma realidade.

Assim que o período a que se refere o planejamento se inicia, a "bola começa a rolar", como se diz no jargão esportivo. É aí o momento em que recebemos feedback constante da realidade. Você vai ao mercado para fazer a compra semanal e gasta, digamos, R$ 400. Se fizer 4 vezes essa mesma compra, gastará R$ 1.600 ao todo, excedendo o orçamento. Então, é preciso atuar com o próprio jogo em andamento a fim de controlar a próxima compra, tentando reduzi-la para que o gasto fique dentro do orçamento de R$ 1.500. E, a cada compra, você vai recebendo feedback e ajustando a conduta para a compra seguinte.

Ao final do processo, afira se o orçamento foi efetivamente cumprido dentro dos R$ 1.500. Se sim, se foi confortável ou não. E se não, quanto passou e se o gasto excedente foi realmente inevitável.

E o que fazer agora? Essa pergunta é chave, pois é o que diferencia aqueles que desenvolvem um comportamento eficaz daqueles que desistem dos planos e abandonam o orçamento. Uma equipe de Fórmula 1 planeja a construção de um carro para o ano seguinte e o constrói. Posteriormente, faz os testes e ajustes iniciais, até que a temporada de competições é iniciada os carros vão para a pista. Durante as provas, a equipe vai coletando informações do desempenho nas diferentes condições de pista e clima e vai gerando feedback para os engenheiros, que vão fazendo novos ajustes e incrementando a qualidade do carro prova a prova até o final do ano. Isso nada mais é do que o chamado "Ciclo de Deming" ou "PDCA", uma das primeiras ferramentas de gestão de qualidade, disseminada por William Edwards Deming a partir da década de 1950, embora tenha sido criada por Walter A. Shewhart na década de 1920.

O PDCA funciona da seguinte maneira: considerando a necessidade de melhorar qualquer tipo de processo, estabelecem-se 4 etapas – P (*plan*), D (*do*), C (*check*) e A (*action*). Ou seja: planejar – fazer – checar – agir. Trazendo para o nosso mundo de finanças pessoais, temos:

- ▶ P: Planejar = Elaboração do orçamento;
- ▶ D: Fazer = Execução do planejamento durante o mês corrente;
- ▶ C: Checar = Conferência dos resultados obtidos;
- ▶ A: Agir = Correção das falhas encontradas na checagem de modo a abastecer o novo processo de planejamento.

Quem compreender esse processo não será devorado pelo impulso de abandonar o orçamento quando a realidade se mostrar diferente do orçamento; pelo contrário, usará os resultados para obter feedback e planejar um orçamento ainda mais poderoso para o mês seguinte e cada vez mais próximo da realidade, reduzindo consideravelmente a lacuna entre as 2 coisas.

Os meses seguintes...

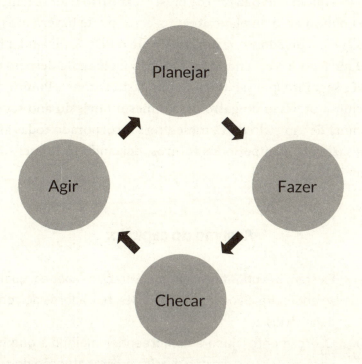

Como vimos, o ciclo PDCA de melhoria contínua permite que o aprendizado e o autoconhecimento gerados por um mês sejam incorporados ao mês seguinte e que o orçamento seja aprimorado a cada ciclo, tornando-se cada vez mais poderoso. Porém, uma coisa precisa ser observada: existem despesas que são sazonais, como alguns impostos (IPTU, IPVA, IR etc.), seguros e datas especiais como Natal, dia das mães e aniversários. Por isso, o orçamento pode sofrer variações ao longo do ano. Isso significa que a visão mensal do orçamento, na medida em que vá evoluindo, deve se transformar numa visão anual.

Se num mês você se deparar com o aniversário de um parente querido a quem tem o hábito de presentear e não tiver se lembrado disso no momento do planejamento, certamente haverá uma diferença entre o orçado e o realizado. Como o PDCA vai ajudar nessa hora? Incorpore o aprendizado, mas não inclua essa despesa extra no mês seguinte, pois se trata de um gasto sazonal. Porém, pode já incluir a previsão do gasto para o mesmo mês do ano seguinte e, ao final de um ciclo de 12 meses, terá incorporado todas as despesas sazonais para períodos futuros, deixando tudo mensurado e planejado.

Resumo do capítulo:

- ► Existem 3 grupos financeiros, e é preciso saber em qual você se enquadra. São eles: poupadores, trocadores de cebola e deficitários.
- ► O orçamento ajuda a compreender melhor a que grupo você pertence e em que precisa prestar atenção de acordo com o grupo.
- ► É importante fazer um orçamento que contemple as fontes de renda e as despesas mensais.
- ► Para que o orçamento não fique irreal, é importante conhecer a cesta de consumo individual.

> ▸ O ciclo PDCA é imprescindível para que o orçamento fique cada vez melhor com o passar do tempo e cada vez mais próximo da realidade.

> O planejamento financeiro é um processo de melhoria. O trabalho vai se tornando cada vez melhor e mais fácil!

Capítulo 4

DICAS PRECIOSAS PARA MELHORAR O ORÇAMENTO

Agora você já sabe como montar o orçamento e criar um processo de melhoria contínua para que ele se torne cada vez melhor e que o proteja a cada dia mais de imprevistos com gastos sazonais. Existem algumas dicas que podem turbinar ainda mais a técnica do orçamento, e é sobre elas que falaremos neste capítulo.

Envolvimento da família

A técnica já foi explicada, porém sempre existe o fator comportamental, que pode minar o trabalho. Uma das situações corriqueiras que destrói o orçamento é a falta de alinhamento familiar. Já falamos um pouco sobre isso quando tratamos da importância das metas, e pelos mesmos motivos devemos tratar do tema orçamento em família.

Henrique e Ana Paula são casados, mas é Henrique que fica responsável por cuidar das finanças da casa. Em função disso, Henrique está sempre preocupado com as luzes acessas sem uso, o tempo de banho das crianças e todas as coisas que representam aumento nos gastos domésticos. Não é que ele seja chato; o problema é que os demais integrantes da família não sabem o motivo daquelas atitudes nem aonde os desperdícios podem levar.

Não se trata aqui de oferecer a Pedro e Lorena, filhos de Henrique e Ana Paula e que ainda são crianças, um poder além do discernimento que eles têm para tomar decisões. Mas sim de compartilhar as ideias e promover o alinhamento de todos. Henrique e Ana Paula, os adultos responsáveis pelo provimento do lar, são os tomadores de decisão e, por isso precisam primeiro estar alinhados entre si, cientes do que querem alcançar, e então compartilhar as deliberações com os demais. Aqui é quando você começa a amarrar aqueles sonhos que relacionamos no Capítulo 2 com as atitudes que nos levarão a alcançá-los.

Existe aqui também uma grande oportunidade de auxiliar Pedro e Lorena com relação aos cuidados com o dinheiro. Da mesma maneira que a casa está tentando se organizar para realizar benefícios de que todos poderão usufruir, existe a possibilidade de promover algum tipo de educação financeira básica, usando, por exemplo, a mesada como ferramenta.

A mesada representaria uma fração do orçamento total, mas traria responsabilidade para uma tomada de decisão controlada e o dilema da escolha também seria apresentado às crianças. O que fazer com a mesada? Gastar tudo com sorvete na saída da escola ou poupar para comprar um brinquedo um pouco mais caro? Dessa maneira, o desenvolvimento da responsabilidade poderia atingir a todos nos diferentes níveis e tamanhos de orçamento, promovendo um alinhamento entre o micro-orçamento infantil, de Pedro e Lorena, e o orçamento da família, de responsabilidade de Henrique e Ana Paula. Incentivar que as crianças planejem também os seus pequenos sonhos dentro da realidade da mesada as tornará automaticamente capazes de com-

66 Finanças na vida real

preender o que está se fazendo no orçamento familiar total, já que o processo é o mesmo, apenas em diferente proporção.

Com todos se enxergando num mesmo barco e remando para a mesma direção, a execução do orçamento tem chances muito maiores de ser bem-sucedida.

A dica de ouro

No capítulo anterior, detalhamos como fazer o orçamento e como melhorá-lo sistematicamente, mas existe uma dica de ouro que pode fazer toda a diferença no processo. Essa dica refere-se à composição das despesas e à classificação delas em 2 categorias: despesas fixas e despesas variáveis. Citamos isso brevemente quando falamos de cesta de consumo e agora vamos nos aprofundar um pouco.

Chamaremos aqui de despesas fixas não apenas aquelas que tenham um valor fixo definido, mas também as que não são possíveis flexibilizar e que precisam obrigatoriamente acontecer. Não há nada que possa ser feito com relação às despesas fixas. Elas são necessárias para a sobrevivência e não há como eliminá-las. A alimentação é uma despesa que varia, porém não é possível decidir não ter gastos com alimentação durante um período, porque a alimentação está relacionada com nossa necessidade básica de sobrevivência. Já a academia, os cursos, o lazer, o serviço de limpeza (diarista), o salão de beleza, a TV a cabo, todos podem ser eliminados em casos extremos, ainda que sejam necessários para a nossa qualidade de vida e saúde mental. Os empréstimos e financiamentos são despesas fixas também, porque a decisão já foi tomada e o compromisso já existe, assim como parcelamentos de compras em que o produto já foi entregue. Já comprou, já levou e agora é preciso saldar as parcelas.

Poderíamos dizer, portanto, que as despesas fixas são aquelas que não conseguimos eliminar do orçamento porque se relacionam com a necessidade de sobrevivência ou porque já foram feitas e são líquidas e certas – e, se você deixar de pagá-las, estaria dando calote em alguém. Já as despesas variáveis são aquelas que simplesmente podem deixar de existir imediatamente sem gerar nenhum problema com terceiros e que não são essenciais para a sobrevivência.

Resumindo, considere:

- ► **Despesas fixas:** Aquelas que não poderiam ser eliminadas numa emergência de grandes proporções financeiras.
- ► **Despesas variáveis:** Aquelas que poderiam, sim, ser eliminadas em cenários caóticos. Abaixo, segue um exemplo de separação de despesas entre fixas e variáveis:

Despesas fixas	Despesas variáveis
Condomínio	Educação (cursos livres)
Água	Academia
Luz	Limpeza (diarista)
Mercado	Salão de beleza
Restaurantes	TV a cabo
Telefone	Lazer
Internet	Outros gastos
Plano de saúde	
Combustível	
Financiamento do carro	
Financiamento do imóvel (ou aluguel)	
Empréstimo consignado	
Seguros	

Somando as despesas por categoria e comparando-as, você terá uma visão da proporção de cada uma delas com relação ao orçamento total.

Qual seria a proporção adequada entre despesas fixas e variáveis dentro de um orçamento? Essa questão é extremamente importante porque, em função da resposta, o orçamento terá menor ou maior flexibilidade e lhe proporcionará maior ou menor segurança. Observando as 2 possibilidades abaixo, qual delas aparentemente é mais adequada, considerando que nos 2 casos a despesa total é a mesma?

A situação 2 é infinitamente superior à situação 1. Note que as despesas fixas são bem maiores na situação 1, de maneira que, em caso de problemas financeiros graves, como redução da renda ou até mesmo a perda do emprego por determinado período, não há tanta flexibilidade no orçamento. O indivíduo também cria uma dependência muito maior do seu trabalho, pois o seu nível de despesas fixas elevadas não permite olhar outras oportunidades que poderiam ser mais atraentes para aquilo que deseja. Já na situação 2, as possibilidades de manobrar e fazer escolhas são bem maiores, permitindo uma reação rápida ao problema enfrentado.

É possível, então, refletir também sobre o quanto o hábito de tomar empréstimos e fazer dívidas diversas – que vão desde o financiamento do imóvel e do veículo, como falamos no Capítulo 3 –, até o parcelamento frequente de compras no shopping, além de provocar o efeito do gasto excessivo com juros ao longo de uma vida, eleva as despesas fixas e reduz cada vez mais a flexibilidade, gerando dependência extrema do emprego.

Outro sintoma do aumento das despesas fixas é a dificuldade em realizar atividades de lazer e qualidade de vida. Essas atividades estão justamente nas despesas variáveis e por isso podem ser sempre remanejadas. Portanto, um gasto mensal de R$ 1 mil numa parcela de empréstimo não tem o mesmo impacto que um gasto de R$ 1 mil em atividades de lazer, pois o lazer pode ser suprimido e substituído com facilidade, ao passo que o empréstimo não poderá sair dali, representando uma barreira intransponível de mobilidade. Assim, é sempre saudável e desejável conservar muita mobilidade e flexibilidade no orçamento, e isso definitivamente não se conquista com o aumento das despesas fixas.

Talvez, agora que você refletiu sobre isso, será possível perceber que com despesas fixas elevadas o orçamento estará mais travado. Será que os parcelamentos e as dívidas contraídas e que estejam pesando valem a pena? Se a resposta for "não", trataremos no Capítulo 6 de um método simples e prático de eliminação de dívidas.

Resumo do capítulo:

- Família sem alinhamento realiza esforços em diferentes direções, comprometendo as finanças.
- Família alinhada financeiramente realiza esforços para uma mesma direção, acelerando o processo de bem-estar das finanças.
- É importante separar as despesas classificando-as em fixas e variáveis.
- É imprescindível fazer todos os esforços para que as despesas variáveis sejam maiores que as despesas fixas num orçamento. Todo esforço nessa direção é bem-vindo.
- Diminuir as despesas fixas sempre que for possível traz liberdade financeira.

O balanço adequado entre despesas fixas e variáveis num orçamento é a dica de ouro que proporciona segurança financeira.

Capítulo 5

ECONOMIZANDO COM INTELIGÊNCIA

Um dos primeiros impulsos de quem começa a organizar o orçamento é a determinação de cortar custos em tudo que for possível. Esse ímpeto é muito positivo, porém é preciso ter muito cuidado com ele – porque, no final das contas, normalmente não traz um bom resultado. Muitas das vezes essa atitude leva a medidas pouco inteligentes, que causam restrição excessiva de qualidade de vida e zero benefício financeiro.

É o caso da empresa que resolve economizar no tipo de papel higiênico do banheiro dos funcionários, como se isso trouxesse economia, quando, na verdade, só traz impacto negativo no sentimento da equipe de colaboradores. Não se trata de uma situação em que se poderia pensar: "Sabemos que nosso papel higiênico não é bom, mas por outro lado as finanças da empresa estão fortalecidas". Uma atitude dessas não cria nenhuma melhoria nas finanças de empresa nenhuma, apenas causa insatisfação. Então é um tipo de decisão burra, que só traz prejuízo.

Ocorre que muitos também cometem esses erros nas finanças pessoais, impondo-se restrições irracionais e cortando despesas erradamente. O que vamos abordar aqui é que existem maneiras de economizar com inteligência, sem necessariamente renunciar à qualidade de vida. Você não pode aceitar a ideia de que economizar diminui qualidade de vida. É preciso mudar esse pensamento e se fazer uma das seguintes perguntas: "Como economizar sem perder qualidade de vida?" ou até mesmo: "Como economizar melhorando minha qualidade de vida?". Desafiar-se nessa missão trará uma nova perspectiva, e novas ideias vão surgir. Sem contar que, se isso for compartilhado com a família ou conhecidos, mais soluções vão surgir – muitas das quais inexequíveis, mas outras excelentes. A nossa capacidade e criatividade não têm limites e precisam ser utilizadas também para nosso próprio favorecimento. Muitas vezes, somos desafiados a encontrar soluções aparentemente inexistentes em desafios de trabalho e conseguimos. Então, coloque o desafio na frente e olhe para ele dessa maneira, pois isso só trará benefícios que poderão ser facilmente implantados. Talvez a maioria deles demande alguma mudança comportamental, mas outros nem isso. É prático e basta fazer.

O DÉFICIT DE CONSUMO

O déficit de consumo ocorre quando você se submete a longos períodos de restrição, reprimindo de maneira violenta os impulsos de gastos. Em muitos casos, deixa as roupas envelhecerem, os calçados furarem, não faz manutenção correta do lar, deixa de comprar móveis e eletrodomésticos necessários e não procura ter condições de vida adequadas para suas necessidades. Porém, normalmente o objetivo de fazer economias assim é obter dinheiro para usar depois. E toda essa restrição não é economia. É restrição mesmo! É comprimir necessidades reais e colocá-las abaixo do que seria a sua real condição de vida. Sem contar aquele comportamento de tentar levar vantagem em despesas partilhadas com amigos, o que torna alguém desagradável e o afasta das pessoas. Nesse caso, tal como falamos no Capítulo 1, você se torna escravo do dinheiro, pois ele está moldando seus hábitos e potencializando sua mesquinharia.

Existem 2 situações que podem ocorrer com essa atitude:

1. Acostumar-se com esse estilo de vida baseado na escassez e fazer disso um hábito eterno. O perigo é que, mesmo depois de guardar muito dinheiro, os hábitos não lhe permitirão usufruir daquilo que não for básico e essencial. Não é muito inteligente cuidar das finanças para viver na escassez. Definitivamente não é para esse lado que o cuidado com as finanças deve caminhar.

2. Fazer do efeito restritivo um sacrifício cada dia maior até se transformar numa bomba-relógio. Um dia você vai chegar ao seu limite, estourar e não suportar mais as restrições. Uma vez que ocorra a explosão da bomba, vai pensar que é preciso recuperar o tempo perdido. Afinal, não há mais roupas para vestir, não há sapatos para calçar, não há eletrodomésticos nem talheres suficientes na cozinha. O sofá não existe, porque usou na sala colchões de solteiro velhos doados por um parente que pretendia descartá-los. É uma situação de falta de dignidade completa. A revolta pessoal ocorre e, com o cartão de crédito nas mãos, começa sua busca pelo tempo perdido. Tudo aquilo que em tese havia sido restringido precisa ser adquirido. Ainda que se tenha dinheiro guardado, ele pode ser consumido depressa, de maneira que, após esse processo, você volte a uma situação pior que a do início.

É um processo bastante similar ao chamado efeito sanfona das dietas de emagrecimento, quando, após perder uma boa quantidade de quilos, a pessoa quer devorar tudo pela frente e acaba por recuperar todo o peso de novo, ou até ganhar mais. Tal como nas finanças, não é a restrição que vai resolver o sobrepeso, mas a reeducação: reeducação financeira.

Restrições podem existir em alguns momentos. Mas é preciso ter um prazo e um objetivo claros. Existe uma diferença entre não comprar roupas até ficar sem roupas e não comprar roupas para refrear um hábito desregrado de toda semana comprar uma peça nova no shopping depois do almoço, a chamada compra por impulso. Restrições de longuíssimo prazo não são sustentáveis e geram o déficit de consumo.

Usando Pareto para economizar com inteligência

Para não cair na mesmice que você já sabe que não funciona, adicione inteligência nas finanças e na maneira de economizar seguindo o clássico Princípio de Pareto. De maneira sucinta, o princípio afirma que 80% de um resultado é obtido por 20% dos fatores, por isso também é chamado de regra do 80/20. Em administração de negócios, por exemplo, uma empresa que tenha 80% de sua receita proveniente de 20% dos clientes pode começar a refletir se deve dedicar mais atenção aos 20% de clientes que mais dão receita ou se deveria fazer esforços para pulverizar ainda mais as suas fontes de receita e assim não ficar tão dependente daquele grupo reduzido.

A Curva ABC é um sistema de análise baseado em Pareto, no qual se criam categorias de produtos num estoque e verifica-se quais deles mais trazem retorno monetário. Assim a empresa sabe em que itens deve prestar mais ou menos atenção. Na verdade, pouco importa se são exatamente 20% das causas que vão responder por 80% dos resultados. A lição aqui é que existem itens mais relevantes que outros. Vamos montar um exemplo prático de uso de Pareto nas finanças.

Primeiro, observe este orçamento de um indivíduo considerando que o cálculo se baseia realmente em sua cesta de consumo e os custos orçados já estão compatíveis com a realidade, ou seja, que esse indivíduo já leu o Capítulo 3 deste livro e já está colocando as lições em prática.

Despesas	Valor (em R$)
Academia (CV)	320,00
Aluguel (CF)	2.950,00
Amazon Prime (CV)	9,90
Assinatura de revista (CV)	48,90
Condomínio (CF)	1.050,00
Doação (CV)	100,00
Educação: curso livre (CV)	740,00
Livros (CV)	200,00
Lavanderia (CV)	750,00
Limpeza (diarista) (CV)	600,00
Luz (CF)	200,00
Mercado (CF)	1.500,00
Netflix (CV)	45,90
Plano de saúde (CF)	500,00
Restaurantes[1] (CF)	1.500,00
Salão de beleza (CF)	150,00
Seguros (CF)	350,00
Spotify (CV)	18,90
Telefone celular (CF)	150,00
TV a cabo (CV)	200,00
Internet (CF)	150,00
Total	11.533,60

---

1 Gasto feito com as refeições durante a semana, no horário comercial. Nem sempre será possível ou inteligente eliminar o restaurante em troca de marmita, numa tentativa de economizar dinheiro, porque levar marmita exige preparo, e preparo exige tempo e conhecimento. No entanto, caso você opte pela marmita, note que o valor do mercado vai aumentar consideravelmente.

Observando esse orçamento (elevado, diga-se de passagem), é possível já separar os custos em fixos (CF) e variáveis (CV), conforme já apresentado na tabela. Com isso, podemos verificar que, de um orçamento de gasto mensal de R$ 11.533,60, R$ 3.033,60 poderiam sumir imediatamente em caso de aperto financeiro apenas eliminando os gastos variáveis e reduzindo de imediato o custo para R$ 8.500. E dentro dos custos fixos ainda é possível encontrar diversas oportunidades de melhoria.

Só de olhar os itens listados, já verificamos uma série de custos que poderiam ser cortados, como assinatura da Netflix, do Spotify e do Amazon Prime. A assinatura de revistas também poderia ser cortada, assim como a TV a cabo. Mas como usar o princípio de Pareto para fazer uma economia inteligente? Primeiramente, pegando a mesma tabela e colocando em ordem de gastos, dos mais altos para os mais baixos e com a participação de cada um dos itens no orçamento, conforme a seguir:

Despesas	Valor (em R$)	% do orçamento
Aluguel (CF)	2.950,00	25,58%
Mercado (CF)	1.500,00	13,01%
Restaurantes (CF)	1.500,00	13,01%
Condomínio (CF)	1.050,00	9,10%
Lavanderia (CV)	750,00	6,50%
Educação: curso livre (CV)	740,00	6,42%
Limpeza (diarista) (CV)	600,00	5,20%
Plano de saúde (CF)	500,00	4,34%
Seguros (CF)	350,00	3,03%
Academia (CV)	320,00	2,77%
Livros (CV)	200,00	1,73%

Despesas	Valor (em R$)	% do orçamento
Luz (CF)	200,00	1,73%
TV a cabo (CV)	200,00	1,73%
Internet (CF)	150,00	1,30%
Salão de beleza (CF)	150,00	1,30%
Telefone celular (CF)	150,00	1,30%
Doação (CV)	100,00	0,87%
Assinatura de revista (CV)	48,90	0,42%
Netflix (CV)	45,90	0,40%
Spotify (CV)	18,90	0,16%
Amazon Prime (CV)	9,90	0,09%
TOTAL	11.533,60	100%

Repare que os 4 primeiros itens do orçamento (19% do total de itens) respondem por 60,69% do total de gastos, enquanto os outros 17 itens respondem por 33,31%. Ainda que os gastos não apresentem exatamente a proporção 80/20, você observa que alguns poucos itens representam uma parte elevada dos gastos, confirmando o Princípio de Pareto. Se somar os 7 primeiros itens (33% do total de itens), chega a 78,81% do orçamento. Então essa é a primeira observação que precisa ser feita para que você comece a economizar com inteligência.

Observando na parte inferior da tabela, temos o Amazon Prime consumindo 0,09% do orçamento. Isso significa que, mesmo que elimine em 100% o gasto do Amazon Prime, o efeito será nulo na melhoria das finanças, tal qual a economia do papel higiênico na empresa. Por outro lado, a saída dele pode representar uma perda de lazer significativa. Será que cortar o Amazon Prime é uma opção inteligente? Não parece que seja.

Então como você economizaria usando Pareto? Pegaria esses 7 primeiros itens que representam 78,81% dos gastos e avaliaria quanto pode reduzir neles. Se conseguir reduzi-los em 10%, estamos falando de uma redução de R$ 909, já que eles somam R$ 9.090. Se fizer o mesmo esforço com os itens menos representativos, teria que cancelar praticamente 100% das despesas 12 a 21, sendo que nelas estão diversos custos de qualidade de vida, seguros, além de serviços essenciais, como telefone celular e luz, de tal forma que é fácil verificar que isso traria enorme impacto na qualidade de vida.

Também não é difícil avaliar e concluir que uma economia de R$ 909 (10%) nos 7 primeiros itens seria equivalente a cancelar mais de 90 serviços do custo do Amazon Prime. Isso significa que é muito mais inteligente uma reflexão a respeito dos 7 primeiros itens do orçamento, procurando oportunidades de melhoria, do que o cancelamento de tudo que aparentemente é supérfluo, mas que pode permitir uma boa qualidade de vida e é pouco relevante para o orçamento. Alguns desses gastos podem não ser negociáveis, como o custo do condomínio, mas cabe a avaliação se o aluguel atual é realmente condizente e se não há alternativas.

Pessoas que trabalham em sistema de home office precisam residir realmente nas áreas centrais das grandes cidades? Será que pessoas que trabalham fora não encontram aluguéis mais próximos ao trabalho com custo inferior? A mudança de residência pode não ser imediata em função do prazo do contrato. Mas manter todos os pagamentos rigorosamente em dia facilita muito a negociação da renovação. Será que não há oportunidades nas compras do mercado? Será que há desperdícios ou muita "porcaria", como produtos não saudáveis, nas compras? E nos restaurantes? Será que os hábitos atuais não poderiam ser modificados sem perda de qualidade? Será que não seria mais econômico ter uma boa máquina de lavar e mandar para a lavanderia apenas as roupas mais sensíveis, reduzindo drasticamente esse custo? Será que o curso livre está realmente sendo aproveitado? Você tem tido tempo de se dedicar a ele como imaginava? E no item 13: será que você está realmente usufruindo das centenas de canais do plano de TV ou basicamente só vê meia dúzia deles e muito de vez em quando? Será que você não vê muito mais as séries e os filmes nos serviços de streaming do que assiste aos canais de TV? Repare que a técnica empregada aqui não é estabelecer restrições radicais, mas sim refletir sobre oportunidades de melhoria em itens que farão maior diferença no orçamento e que podem nem mesmo representar qualquer redução de qualidade de vida – e sim, talvez, até aumentá-la. Isso sim é economizar com inteligência!

PEQUENOS HÁBITOS, GRANDES NEGÓCIOS!

Há oportunidades inteligentes de melhorar a própria qualidade de vida economizando. Isso seria como utilizar o PDCA na própria vida, aplicando-o a tarefas rotineiras de maneira a fazê-las cada vez melhor. Vamos estudar o caso do dr. Marcelo.

O dr. Marcelo é um dentista muito ocupado, com uma rotina puxada. Um belo dia, à noite, após atender seu último paciente e encerrar por volta das 21 horas, ele se deu conta de que talvez não tivesse o que comer em casa e, como estava muito cansado para comer na rua, resolveu passar na padaria. Chegando lá, comprou algumas coisas e lembrou também que talvez fosse bom comprar algo para o café da manhã do dia seguinte. E assim fez dr. Marcelo. Chegando em casa, verificou que algumas coisas que ele tinha comprado não eram necessárias e não ofereceriam uma alimentação adequada. No dia seguinte, no café da manhã, notou também que tinha uma vasilha com pães envelhecidos. Ou seja, ele sentiu a necessidade de passar na padaria enquanto em casa existiam alimentos se deteriorando. Isso claramente é desperdício, fruto de algum desarranjo na rotina. E a semana passou exatamente da mesma maneira: todos os dias, o dr. Marcelo saía do consultório e comprava alguma coisa para comer à noite e no café da manhã do dia seguinte.

No fim de semana, o dr. Marcelo pensou na situação e percebeu que não fazia sentido ir tantas vezes à padaria, pois, além de tomar muito tempo, isso o levava a comprar coisas de que não precisava. Foi então que resolveu olhar as notas da padaria da semana e, eliminando os erros encontrados, fez uma lista de suprimentos para uma semana. Agora o dr. Marcelo não teria que ir mais diariamente à padaria. Iria apenas no sábado e faria uma compra semanal. E, em vez de ir à padaria, iria ao mercado, onde existe mais variedades dos mesmos produtos com custo menor.

Como anotar era uma coisa pouco prática, dr. Marcelo baixou um aplicativo de celular que tem a função de fazer anotações e colocou ali sua lista de compras semanal. Quando, durante a semana, o dr. Marcelo sentia falta de algum produto, ele imediatamente incluía na lista. Se fosse algo imprescindível, ele passava na padaria ou no mercado para comprá-lo, mas, quando era algo que pudesse esperar, apenas entrava na lista. Um dia, no meio do banho, o dr. Marcelo percebeu que o xampu estava no fim. O que fez? Foi em sua lista, anotou o xampu, o sabonete e a pasta de dentes. E assim foi fazendo, incluindo itens de alimentação, higiene, limpeza e supérfluos.

Desde então, o dr. Marcelo não vai mais à padaria. Uma vez por semana, ele abre o aplicativo de anotações no celular e verifica quais itens tem em casa e quais precisa repor, e em seguida vai ao mercado comprar exatamente aquilo de que precisa, sem desperdício.

Aplicando o PDCA em sua rotina, o dr. Marcelo ganhou tempo (não precisa mais ir diariamente à padaria), ficou mais aliviado (porque sabe que sempre tem em casa os produtos de que precisa) e começou a gastar menos (tanto porque passou a comprar no mercado e não na padaria quanto porque parou de comprar coisas desnecessárias).

Como você pode observar, o caso do dr. Marcelo aconteceu naturalmente. Bastou que ele observasse a própria rotina e encontrasse uma maneira mais prática, confiável e econômica de fazer suas compras. Quanto menos você vai ao mercado ou à padaria, menos gastos são feitos. O dr. Marcelo reparou nisso e comparou sua rotina com o mês anterior. Foram 15 visitas à padaria no mês anterior contra 4 visitas ao mercado na nova realidade. E, indo menos, reparou que o gasto total foi em torno de 20% menor do que antes.

A LISTA DE COMPRAS DO DR. MARCELO

Seguindo no PDCA pessoal, o dr. Marcelo percebeu também que a lista de compras já tinha transformado suas compras em mais racionais e com menos desperdícios. Mas o dr. Marcelo adorava doces, e por isso sempre fugia um pouco aos itens da lista quando observava aquelas maravilhas no mercado. Isso gerava um gasto um pouco maior do que o previsto, tanto nos próprios produtos comprados "com os olhos" quanto na maior necessidade de creme dental, afinal o dr. Marcelo é dentista e sabe dos efeitos do açúcar.

Foi então que o dr. Marcelo, numa noite em que ouvia música enquanto jantava calmamente em casa depois do trabalho (já que não tinha mais que ir tarde da noite à padaria), resolveu pegar uma taça de vinho e avaliar sua própria lista. Talvez tivesse oportunidade ali. Mas ele não pensava em economizar. Ele só pensava em verificar a oportunidade de melhoria dos produtos que comprava, com o intuito de encontrar uma alimentação mais saudável. E foi então que encontrou algumas oportunidades, retirando refrigerantes e enlatados e fazendo outras escolhas mais próximas do que os nutricionistas chamam atualmente de "comida de verdade". Foi então que descobriu mais uma grande oportunidade de corrigir alguns hábitos alimentares, e, para sua surpresa, o bônus disso tudo foi gastar ainda menos!

No entanto, ainda existia um problema: o dr. Marcelo sabia que "seus olhos compravam" e que, ao chegar ao mercado, provavelmente seus impulsos iriam sabotá-lo. Foi então que resolveu fazer as compras de mercado pela internet. Dessa maneira, faria uma busca exatamente pelos itens de que precisava e os receberia em casa no momento agendado. Pronto. O dr. Marcelo agora não perdia mais tempo nem indo ao mercado. E, como ele tinha a lista de compras no celular, podia fazê-la de qualquer lugar, 24 horas por dia, e agendar a entrega conforme sua conveniência. Mais uma vez, o dr. Marcelo usufruiu do PDCA em sua vida pessoal. Melhorou a lista e o processo de compra, economizando ainda mais dinheiro, ganhando tempo livre e melhorando sua qualidade de vida.

Essa é uma historinha simples e prática que mostra como existem oportunidades de melhoria de qualidade de vida aliada a um gasto financeiro menor. Quais são as oportunidades que você tem em sua rotina que podem lhe proporcionar benefícios assim?

Rodar diferentes mercados para tentar pegar as melhores promoções de cada item de compras pode ser muito mais trabalhoso e mais custoso do que simplesmente criar uma lista de compras bem-feita, segui-la e melhorá-la de vez em quando.

Resumo do capítulo:

- Para fazer economia inteligente, é importante identificar os itens mais relevantes no orçamento e atacá-los.
- Alguns gastos são pequenos e proporcionam qualidade de vida. É importante avaliar se realmente vale a pena cortá-los.
- Observar o próprio orçamento é essencial para descobrir oportunidades de melhoria.
- Observar os próprios hábitos e rotinas também é essencial.
- Restrições excessivas não são sustentáveis nem benéficas no longo prazo. Geram apenas déficit de consumo ou pão-durismo.
- A lista de compras racionaliza o processo e elimina distrações.
- É mais econômico comprar apenas o necessário do que comprar coisas de que não precisamos por preços mais baixos.

Aplicar o PDCA na própria vida permite
ganhar tempo, ser mais produtivo, melhorar
a qualidade de vida e economizar!

Capítulo 6

ELIMINANDO AS DÍVIDAS COM O MÉTODO 1-2-3

Ao se deparar com esses *insights* de como melhor organizar as finanças pessoais que discutimos até aqui, sua conclusão é a de que realmente eles fazem muito sentido e podem ajudar você na construção de um orçamento realista sem que sejam necessários conhecimentos avançados em Excel, finanças ou matemática? Esperamos que sim, pois para melhorar as finanças é necessário usar apenas 2 ferramentas: matemática básica e o comportamento certo.

Nada do que vimos até aqui é um "bicho de 7 cabeças". É tudo simples como realmente deve ser, porque as grandes soluções para os desafios que enfrentamos são normalmente as menos complicadas, e com finanças também precisa ser assim. Complicar para resolver coisas práticas gera 2 trabalhos: 1) complicar, 2) solucionar. Não queremos nada disso. O que desejamos de fato é que você se concentre naquilo que é mais importante para a sua vida e não fique queimando fosfato com coisas que não trazem desenvolvimento pessoal nem satisfação. Você precisa superar as barreiras que o impedem de avançar no caminho.

Muitas pessoas podem se deparar com a seguinte realidade: "Ok, estou adorando e entendendo muito bem essas ideias de finanças expostas aqui no livro, mas tem um problema: eu não conseguirei utilizá-las porque já me enrolei e estou muito endividado! Na minha situação, não há realmente o que fazer!".

Ledo engano!

A solução para as dívidas também não é nada complicada! E é possível melhorar a situação muito mais rápido do que você imagina! Em apenas um mês já vai ser possível perceber a evolução, e ela se resolverá cada vez mais rapidamente. Basta seguir atentamente na leitura deste capítulo e aprender como extirpar definitivamente as dívidas da sua vida!

A ORIGEM DAS DÍVIDAS

Para evitar o efeito sanfona nas finanças, tal como muitas vezes acontece numa dieta alimentar, é preciso compreender como surgem as dívidas. Tendo essa compreensão, é possível não apenas eliminá-las de uma vez por todas como também se manter vigilante e atento para evitar uma nova surpresa no futuro.

Basicamente o endividamento ocorre por 2 causas principais:

> ▶ **Situações emergenciais:** É aquele endividamento que se inicia por causa de algum acontecimento inesperado na vida. Pode ser um problema de saúde (com você ou com familiares), a perda do emprego, um acidente de carro, um erro profissional que gere prejuízo elevado, um processo judicial em que se negligenciaram os riscos, uma gravidez não planejada, o falecimento de alguém que até então era o provedor da família, uma cobrança de dívida em

que você era fiador de um terceiro que não conseguiu honrar com o compromisso, um golpe financeiro, um assalto, uma enchente que acarretou grandes perdas, enfim, tudo aquilo que pode pegar você de surpresa simplesmente pelo fato de estar vivo. Nesses casos, se você não tiver um dinheiro guardado, vai ser obrigado a recorrer a linhas de crédito e, assim, iniciar o ciclo do endividamento.

► **Hábitos equivocados:** É aquele endividamento que não decorre de nenhuma situação inesperada, mas sim de uma conduta financeira equivocada no dia a dia, ou seja, de maus hábitos. Escolhas assim diariamente, como se não houvesse um amanhã, vão construindo, ou melhor, destruindo sua capacidade financeira a conta-gotas, mas com uma consistência impressionante! Todo mundo ficava admirado vendo o nadador Michael Phelps ganhar uma série de medalhas de ouro nos Jogos Olímpicos Rio 2016, porém pouca gente parava para pensar que ele não ganhava as medalhas ali no momento da prova. Ele ganhava as medalhas no dia a dia, nas sessões diárias e intensas de talvez 6 ou 8 horas de esforço e dedicação durante os 4 anos entre os Jogos. Sem contar todas as competições nesse intervalo de tempo. O endividamento por hábitos equivale a um "esforço de treino diário" similar ao de Phelps porém às avessas, já que produz endividamento em vez de produzir algo muito bom no final de um ciclo. O que podemos concluir do endividamento oriundo dos hábitos diários equivocados é que ele é obtido com muita "disciplina e dedicação" em destruir as próprias finanças sem deixar pedra sobre pedra.

Não encare que entender a origem da dívida é uma caça às bruxas, uma procura infantil por culpados. Olhar para sua situação e identificar qual foi a forma principal que levou você ao endividamento é um exercício que permite verificar em que aspectos é preciso se desenvolver melhor financeiramente e, assim, não apenas reverter a situação, mas também criar mecanismos de defesa para que ela não retorne. Olhe para o problema com maturidade para aprender com ele. Se a sua conduta for infantil diante disso, perderá uma gigantesca oportunidade de aprendizado e de melhorias consistentes em suas finanças.

Além de compreender a origem da dívida, é importante também dimensionar os estragos causados. Podemos usar nomes criativos:

> ► **Mordida de tubarão:** Quando um surfista está no mar buscando realizar uma atividade esportiva com a qual sente prazer, algo terrível pode ocorrer: um tubarão se aproximar e atacá-lo! O resultado pode ser uma mordida superficial, apenas, ou ser fatal. Da mesma maneira são os estragos com dívidas: alguns podem ser de tamanhos que o indivíduo leva muitos anos ou até mesmo décadas para se recuperar.

Um exemplo óbvio de "mordida de tubarão" em finanças pode ser advindo de um problema de saúde. Pedro é filho único e nunca pagou plano de saúde para os pais, aposentados com o salário-mínimo. Quando seu pai leva um tombo, Pedro o coloca num hospital particular, ciente de que pode pagar por uma noite de internação. O quadro se agrava, porém, e no final de um mês os custos hospitalares chegam a R$ 500 mil. Para custeá-los, pode ser necessário que Pedro não apenas tome toda a linha de crédito disponível, mas também recorra à ajuda de terceiros. Inclusive, problemas de saúde são uma das principais causas de falência pessoal nos Estados Unidos, que não contam com um sistema de saúde como o nosso SUS.

Para evitar a mordida de tubarão financeira, é sempre importante considerar planos de saúde e seguros e manter a atenção para situações de risco em grandes decisões, pensando sempre no que pode ocorrer no pior dos cenários. Normalmente, as mordidas de tubarão podem ter efeitos muito maiores que o nosso próprio patrimônio e por isso merecem sempre cautela, já que apenas um evento pode acarretar danos de graves proporções.

> **Mordida de piranha:** Comparado ao próprio tamanho, a piranha (um temido peixe de água doce encontrado na América do Sul) tem uma das mordidas mais potentes de todo o reino animal. Uma única mordida de piranha não é fatal; no entanto, uma grande sequência de mordidas pode ser.

O estrago de uma mordida de piranha nas finanças não vai destruir uma vida financeira por anos ou décadas, mas, se elas ocorrerem em grandes volumes e com frequência, aí você terá um problema.

Por analogia, se as dívidas oriundas de situações emergenciais se assemelham aos danos da mordida financeira do tubarão, as mordidas financeiras da piranha se assemelham aos hábitos ruins do dia a dia se repetindo consistentemente.

É possível, no entanto, que problemas de hábitos produzam também mordidas de tubarão quando um impulso consumista ou excesso de confiança levam alguém a tomar uma grande decisão financeira sem muita reflexão. É o caso de quem entra num financiamento imobiliário de 30 anos sem verificar exatamente se tem as condições para tal. Ou daquele jovem que resolve empreender e "dá um passo maior do que a perna" por excesso de confiança. Nada contra tomar grandes decisões nem ser ousado, porém se deve analisar com cautela as consequências que tais decisões podem gerar caso as coisas não saiam conforme planejado. Ninguém deve tomar, apenas por impulso, uma decisão que pode afetar sua vida por 5, 10, 15 ou 30 anos.

O IMPACTO DAS DÍVIDAS NO ORÇAMENTO

Existem pessoas que conseguem conviver bem com dívidas, sem maiores transtornos no orçamento. Outras são dominadas pelas dívidas, que lhes impõem grandes restrições e as levam à inadimplência. Seja como for, é preciso ter noção exata dos impactos que o endividamento pode causar, e, seja qual for a sua situação, elaborar um plano para eliminar as dívidas por completo é sempre o melhor caminho financeiro a seguir.

Já conversamos em capítulos anteriores sobre o efeito das dívidas no longo prazo e o quanto de dinheiro pago em juros você poderia desperdiçar ao longo de toda uma vida, em vez de reverter para si mesmo, proporcionando maior bem-estar. Mas há um outro impacto do endividamento que é o estrangulamento causado nas finanças pessoais.

Basicamente, o melhor dos mundos quanto à administração de dinheiro é ter sempre diversas opções para cada decisão. O poder da escolha é provavelmente o melhor benefício de uma gestão financeira pessoal eficiente. Quando você se endivida, seu poder de escolha começa a ser reduzido, assim como a sua flexibilidade financeira. Isso significa perder a suavidade similar à da água que busca chegar ao mar, a partir da nascente, contornando todas as condições adversas do relevo no percurso; significa tornar-se um material enrijecido, que em diversas situações não conseguirá fazer as curvas para contornar os obstáculos que aparecerem.

Se por um lado o endividamento permite realizar algo de imediato com um dinheiro que você ainda não tem em mãos, por outro ele cria uma obrigação: a prestação que deverá ser inserida no orçamento e paga mensalmente até o final do prazo.

No Capítulo 4, vimos o quão saudável pode ser um perfil de gastos em função da proporção de custos fixos e variáveis, sendo desejável que os custos fixos sejam os menores possíveis. Quando você contrai

90 FINANÇAS NA VIDA REAL

uma dívida e assume o valor de uma prestação, está fazendo justamente o oposto do ideal: está aumentando os custos fixos e diminuindo a proporção dos custos variáveis. Como são os custos variáveis que permitem ter flexibilidade e fazer escolhas, então com o aumento dos custos fixos há uma redução justamente desses benefícios. Isso feito em sequência vai travando cada vez mais o orçamento, de maneira que sempre que você receber o salário o dinheiro estará totalmente "carimbado", ou seja: com destino definido. Assim, muito pouco restará para usufruir de seu esforço para obtê-lo, já que quase tudo está comprometido. Por isso, o endividamento, além de produzir um custo gigantesco ao longo de uma vida, reduzindo drasticamente a possibilidade de realizar seus objetivos, ainda aprisiona, retirando seu poder de decisão sobre sua própria renda a cada mês.

Não seria tão maravilhoso se você pudesse receber o salário e então escolher o destino de cada real? Na maioria dos casos, não é isso que acontece. As pessoas recebem os salários com todo o valor já comprometido e sem qualquer mobilidade. E isso ocorre justamente porque os custos fixos, dos quais as parcelas de empréstimos fazem parte, são muito elevados. Além disso, existem também os outros aspectos que mencionamos no Capítulo 1: o endividamento torna a pessoa dependente de terceiros, do emprego e do banco. Por isso, é urgente se livrar da dívida e viver com a liberdade que seu próprio salário pode lhe proporcionar.

O MÉTODO 1-2-3 PARA ELIMINAÇÃO DAS DÍVIDAS

Você pode implantar imediatamente um método muito simples e eficaz de eliminação de dívidas! Para ser conduzido a um novo patamar financeiro pelo método 1-2-3, basta seguir 3 passos simples.

Passo 1: Agrupar as despesas

A primeira coisa a fazer é, observando o orçamento doméstico, separar as despesas em 3 grupos: grupo 1, grupo 2 e grupo 3. Tomemos por exemplo o orçamento[1] abaixo, do casal Pereira, sem filhos, com renda mensal líquida de R$ 6 mil:

Despesas	Valor (em R$)	Grupo
Condomínio	250,00	
Luz	100,00	
Mercado	750,00	
Restaurantes	300,00	
Salão e barbearia	100,00	
Celular	100,00	
Internet	49,00	
Plano de saúde	500,00	
Transporte	160,00	
Financiamento do carro	650,00	
Financiamento do imóvel	1.200,00	
Empréstimo bancário	100,00	
Parcelamento do cartão (4/8)	250,00	
Parcela de roupas (1/3)	179,00	
Parcela do celular (5/12)	99,90	
Parcela de cosméticos (3/3)	100,00	
Parcela da geladeira (9/10)	264,00	
Gastos com lazer	400,00	
Outros gastos e imprevistos	448,10	
Total	6.000,00	

---

1 Observe que o orçamento apresentado é hipotético e que as despesas de cada indivíduo obedecem à sua cesta de consumo individual e ao seu nível social. Apesar disso, a técnica apresentada pode ser utilizada em absolutamente qualquer padrão de vida.

Numa primeira observação, você já pode notar, com base no que estudamos no Capítulo 4, que 17 das 19 são despesas fixas – representando cerca de 84% do total das despesas – e apenas 2 itens (18 e 19) são despesas variáveis – representando cerca de 16% do total das despesas. Atenção a esta observação: de um orçamento de R$ 6 mil, apenas R$ 848,10 (soma dos itens 18 e 19) são flexíveis, ou seja, o casal recebe R$ 6 mil, mas só pode decidir como usar R$ 848,10! Todo o resto já está comprometido.

Agora, vamos separar as despesas desse orçamento nos grupos 1, 2 e 3, que significam respectivamente o seguinte:

► **Grupo 1:** São as despesas relacionadas aos custos de vida do próprio mês vigente. São despesas que dificilmente poderão deixar de existir, pois se referem intrinsicamente à própria sobrevivência.

► **Grupo 2:** São as despesas relacionadas a compromissos assumidos no passado. Não são despesas que "nascem e morrem" no próprio mês, ou seja, são despesas que foram criadas num passado e/ou que devem durar ainda alguns meses, mas não mais do que 12. As despesas comuns aqui são os parcelamentos de compras. Trata-se de um "legado" de gastos anteriores.

► **Grupo 3:** São as despesas relacionadas a compromissos assumidos no passado, similares às da categoria 2, com a diferença de que têm prazo bem mais longo, maior do que 12 meses, podendo chegar a vários anos ou até mesmo a décadas, tal como o financiamento imobiliário.

Voltando ao exercício, a família Pereira tem o seguinte:

Despesas	Valor (em R$)	Grupo
Condomínio	250,00	1
Luz	100,00	1
Mercado	750,00	1
Restaurantes	300,00	1
Salão e barbearia	100,00	1
Celular	100,00	1
Internet	49,00	1
Plano de saúde	500,00	1
Transporte	160,00	1
Financiamento do carro	650,00	3
Financiamento do imóvel	1.200,00	3
Empréstimo bancário	100,00	3
Parcelamento do cartão (4/8)	250,00	2
Parcela de roupas (1/3)	179,00	2
Parcela do celular (5/12)	99,90	2
Parcela de cosméticos (3/3)	100,00	2
Parcela da geladeira (9/10)	264,00	2
Gastos com lazer	400,00	1
Outros gastos e imprevistos	448,10	1
Total	**6.000,00**	

Após identificar as despesas, podemos somá-las em cada um dos grupos e obter a seguinte tabela:

Grupo	Total (em R$)	% do orçamento
1	3.157,10	53%
2	892,90	15%
3	1.950,00	33%

94   Finanças na vida real

Com esses dados em mãos, a família Pereira pode fazer uma primeira análise: se o grupo de despesas 1 refere-se aos gastos do casal referente à sua própria subsistência durante o mês corrente, então é exatamente essa categoria que representa o custo de vida potencial do casal! Ou seja: somente as despesas do grupo 1 se referem à sua sobrevivência no momento. Os grupos 2 e 3 referem-se a endividamento contraído anteriormente, que poderia não existir! Ou seja, a diferença do orçamento total de R$ 6 mil para as despesas do grupo 1 é de R$ 2.842,90. Então esse valor representa o valor de mobilidade potencial!

Isso significa que, caso o casal Pereira quitasse todas as dívidas e mantivesse os custos atuais, passaria a reduzir os custos fixos totais para apenas 53% do total do orçamento e teria 47% dos recursos disponíveis para escolher como usar! Em vez de escolher o que fazer apenas com R$ 848,10, referentes aos itens 18 e 19 somados, eles poderiam ter a liberdade de escolher o que fazer com R$ 2.842,90 todos os meses! Isso lhes proporcionaria, certamente, outro padrão de vida e muito mais segurança, independência, flexibilidade e, principalmente poder de decisão! Esse é um orçamento apertado, mas com altíssimo potencial de se tornar um orçamento capaz, inclusive, de gerar poupança e acumulação de patrimônio, tema que trataremos mais adiante neste livro.

No entanto, para chegar lá, é preciso eliminar as dívidas, e é exatamente isso que a família Pereira vai fazer agora!

Passo 2: Atacando as dívidas

Uma vez pronto o mapeamento inicial, a família sabe que as dívidas estão nos grupos 2 e 3. Pode-se verificar também que, aparentemente, o casal sente algum prazer em fazer parcelas nas compras no shopping, uma vez que existem 5 despesas dessa natureza de comportamento a pagar no mês. Se isso é um hábito, é muito provável que no próximo mês eles façam uma nova parcelinha de alguma outra compra, e é exatamente aqui que está a oportunidade deles.

Nesse passo 2, começaremos a atacar o endividamento, e isso acontecerá justamente pelos parcelamentos, ou seja, pelas despesas classificadas no grupo 2. A primeira atitude que o nosso casal amigo deverá fazer é a de romper com esse péssimo hábito imediatamente!

A ordem é a seguinte: não fazer mais nenhum parcelamento de absolutamente nenhuma compra até zerar o grupo 2 e, a partir daí, nunca mais fazer parcelamentos!

Isso não significa que as compras estarão proibidas. Elas estão permitidas desde que feitas à vista e sem estourar o orçamento. Vejamos quantos meses faltam para cada uma das parcelas acabar (incluindo a parcela atual):

Descrição	Valor (em R$)	Meses que faltam
Parcela de cosméticos	100,00	1
Parcela da geladeira	264,00	2
Parcela de roupas	179,00	3
Parcelamento do cartão	250,00	5
Parcela do celular	99,99	8

Como prometido anteriormente, repare que o método trará resultados imediatos! Ao deixar de fazer novos parcelamentos, no próximo mês um dos itens (cosméticos) não existirá mais, e o valor correspondente a essa parcela mensal deixará de existir, aumentando o poder de escolha financeira dos atuais R$ 848,10 para R$ 948,10. Mesmo que resolvam gastar novamente dinheiro com cosméticos, poderão fazê-lo. Mas, em vez de gastar R$ 300 divididos em 3× R$ 100, devem gastar R$ 100. Essa medida, por si só, já vai proporcionar a ampliação do poder de escolha, porque agora poderá optar ou não por fazer essa despesa, enquanto antes, com o parcelamento, o gasto era obrigatório. E pagando à vista, sem comprometer o mês futuro, o poder adicionado de R$ 100 permanecerá também no mês seguinte!

Decorridos 2 meses, as parcelas da geladeira também deixarão de existir, e com isso o poder de escolha aumentará de R$ 948,10 para R$ 1.212,10, e assim sucessivamente, aumentando para R$ 1.391,10 após 3 meses, para R$ 1.641,10 decorridos 5 meses e, finalmente, chegando a R$ 1.741,09 após 8 meses.

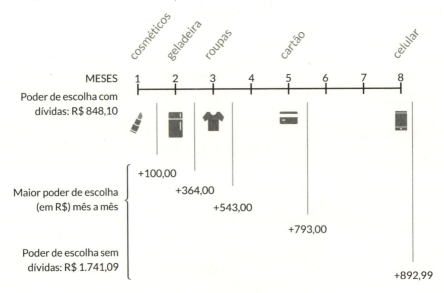

Ao final desse processo, o casal terá o seu orçamento composto de despesas fixas de R$ 4.259, sobrando R$ 1.741 para despesas variáveis, elevando seu poder de escolha de 16% para 29% do orçamento! Para isso, basta deixar as parcelas morrerem com o passar de alguns meses e realizar apenas compras à vista. Os resultados serão maravilhosos e rápidos!

Passo 3: Reduzindo as dívidas com ainda mais velocidade

Em poucos meses, o casal Pereira eliminou totalmente as dívidas do grupo 2, mas ficaram ainda as dívidas do grupo 3. Essas dívidas têm prazos mais longos, e apenas esperar para que deixem de existir vai ser demorado. Embora agora o casal Pereira desfrute de certo conforto, pois teve seu poder de escolha financeiro elevado consideravelmente, é possível melhorar ainda mais esse orçamento e acelerar muito o processo.

Agora que eles têm um poder de escolha de R$ 1.741 mensais, podem destinar um valor para acelerar a quitação das dívidas do grupo 3. Uma oportunidade que as dívidas bancárias (do grupo 3) trazem é que, quando antecipadas, geram desconto de juros. Assim, se o casal antecipar algumas parcelas desses financiamentos e empréstimos, vai pagar menos do que o valor da própria parcela. Dependendo do tipo de empréstimo, é possível inclusive antecipar as parcelas em ordem decrescente (das últimas para as atuais) e obter bons descontos. Imagine que, dentro da parcela do empréstimo bancário de R$ 100, o casal defina que vai utilizar R$ 200 mensais dos R$ 1.741 para quitar mais parcelas por mês. Dessa forma, será possível pagar 3 por vez: a parcela do próprio mês e mais 2 do futuro, pois terão algum desconto.

É importante observar que, fazendo isso, o casal Pereira não perde poder de escolha, porque antecipar parcelas não é uma obrigação, mas sim uma escolha. Com essa medida, o empréstimo que gera uma parcela de R$ 100 poderá ser quitado 3x mais rápido e, assim que for concluído, gerará mais R$ 100 de poder de escolha mensal, elevando o número de R$ 1.741 para R$ 1.841. Na prática, a sensação será a de que a quitação desse empréstimo gere R$ 300 de poder de escolha, já que eram destinados R$ 200 para sua antecipação e mais R$ 100 para o pagamento da parcela do próprio mês.

Assim que esse empréstimo for quitado, faltarão apenas 2: o financiamento do imóvel, de R$ 1.200, e o financiamento do carro, de R$ 650. Para acelerar ainda mais o processo, o casal poderá destinar agora R$ 650 dos R$ 1.841 de poder de escolha para antecipar uma parcela mensal e, assim, pagar 2 parcelas por mês. Dessa maneira, o financiamento do veículo será eliminado na metade do tempo, restando apenas o financiamento imobiliário. Tem um detalhe que merece atenção: como antecipar o pagamento de parcelas traz descontos, na verdade serão necessários menos do que R$ 650 para a antecipação de cada uma delas, especialmente se forem quitadas as prestações com vencimentos mais longos (as do final do carnê). Assim que o financiamento do veículo for concluído, R$ 650 serão acrescidos ao poder de escolha, que agora será de R$ 2.491. Da mesma maneira que na quitação anterior, embora o poder de escolha vá aumentar em R$ 650, a sensação será a de que ele aumentará em R$ 1.300, já que o que estava sendo pago era R$ 650 da própria parcela no mês mais os R$ 650 da parcela futura antecipada.

Agora é possível que o casal Pereira decida se utiliza os R$ 1.300 para antecipar parcelas do imóvel, reduzindo o prazo do financiamento para a metade do tempo também!

Na prática uma coisa muito positiva deve acontecer: o tempo de quitação será ainda menor que o aqui demonstrado. Isso ocorre porque, com as finanças em ordem, o casal poderá ter eventos de entrada de recursos sazonais, como bônus, 13º salário, restituição do Imposto de Renda, e em todos esses casos o recurso entrará livre para utilização, já que o orçamento está cada vez mais folgado. Além disso, existe a possibilidade também do uso do FGTS para amortização do financiamento imobiliário – se for o caso –, e o tempo de quitação pode ser ainda mais acelerado!

Na prática, a cada mês em que os custos fixos são reduzidos, um acelerador de quitação de empréstimos é acionado, pois você aumenta o seu poder de escolha. Em outras palavras aumenta o fluxo de dinheiro livre!

O método 1-2-3 ataca primeiro o comportamento para eliminar o grupo 2 das dívidas e, como prêmio por uma nova boa conduta, gera cada vez mais fluxo de dinheiro livre, permitindo aumentar acelerada e mensalmente o seu poder de escolha e a fatia de seu orçamento que controla – e, por fim, permite também a aceleração do processo de quitação integral e acelerada das dívidas.

O ORÇAMENTO SEM DÍVIDAS E IDEAL

Após a quitação de todas as dívidas, o exemplo do casal Pereira, que ilustra todo o processo, chegará ao seu melhor momento: uma vida financeira livre de dívidas, com maior liberdade, segurança e poder de escolha.

De um orçamento total de R$ 6 mil, mantendo o padrão de vida as despesas fixas totalizarão R$ 2.309 (38% do orçamento), enquanto R$ 3.691 (62% do orçamento) serão despesas variáveis, que podem ser entendidas como o valor do poder de escolha e também como o fluxo de dinheiro livre gerado mensalmente.

Feito o dever de casa com louvor, nada impede – e é até saudável – que o casal do exemplo eleve um pouco sua qualidade de vida e possa se dedicar também ao crescimento pessoal, fazendo cursos, aprendendo idiomas, realizando algumas viagens programadas, sempre com pagamentos à vista. Essas medidas vão facilitar o crescimento profissional e provavelmente melhorarão a renda, gerando ainda mais fluxo de dinheiro livre e mais segurança e qualidade de vida. As boas decisões do que fazer com esse dinheiro livre poderão levá-los a alçar voos ainda maiores e mais longos, realizando sonhos que até então pareciam impossíveis. Abordaremos em capítulos futuros como fazer esse dinheiro trabalhar para produzir crescimento patrimonial e pavimentar a estrada da aposentadoria tranquila!

Vale um adendo aqui sobre endividamento quando falamos de empresas: diferente das finanças pessoais, é natural que as empresas se endividem. Isso pode ser aceitável até determinado nível, pois a empresa pode utilizar capital emprestado para alavancar seus resultados. Isso significa que ela gera um retorno maior com sua operação do que os custos de juros e, assim, algum nível de endividamento pode ser tolerado. Se for excessivo, também se torna problemático. No caso das finanças pessoais é diferente, porque usamos os recursos para custear nossos projetos pessoais e gastos do dia a dia. É por isso que se deve perseguir uma "política pessoal" de zero endividamento.

Resumo do capítulo:

- ▶ As dívidas se originam de situações emergenciais ou de maus hábitos do dia a dia.
- ▶ Nas finanças existem as mordidas de tubarão e as de piranha.
- ▶ As dívidas estrangulam o orçamento e afetam o poder de escolha perversamente.
- ▶ Definir uma "política pessoal" de endividamento zero é muito saudável.
- ▶ É possível acelerar a quitação das dívidas pelo método 1-2-3.

Todos os esforços devem ser feitos para gerar o maior fluxo de dinheiro livre possível. É isso que garante o poder de escolha!

Capítulo 7

RAIO X DA SITUAÇÃO FINANCEIRA

No Capítulo 3, conversamos sobre a importância de fazer um "diagnóstico da situação atual" para que você compreenda em que grupo financeiro está: no grupo dos poupadores, no dos trocadores de cebola ou no dos deficitários.

Agora vamos aprofundar esse diagnóstico para obter um raio X mais preciso da *sua* situação, levando em conta o patrimônio, as dívidas, o dinheiro poupado (se houver) e demais informações que nos permitirão buscar a melhoria financeira e patrimonial. Teremos que usar alguns conceitos básicos de contabilidade aqui, mas não há motivos para se preocupar, porque tudo vai ficar muito claro!

Para ter esse raio X, você precisa:

- ▶ Fazer algumas contas para enxergar os indicadores financeiros;
- ▶ Identificar as oportunidades de melhoria.

O índice de poupança

O primeiro indicador que precisa ser compreendido é o chamado índice de poupança. A finalidade desse índice é justamente medir qual a capacidade de poupança que um indivíduo tem. Para calcular esse índice, basta observar apenas o orçamento mensal.

Para nosso exercício, vamos pensar no Felipe, que é marceneiro, contratado com a carteira assinada numa grande empresa de eventos, recém-divorciado e sem filhos. Da sua renda de R$ 5 mil, ele gasta R$ 4.800 com despesas totais (incluindo fixas e variáveis). Dessa forma, todo mês lhe sobram R$ 200. Essa sobra pode ser utilizada para gastos dos mais variados, como supérfluos e compras aleatórias, mas também pode ser poupada. Concluímos, portanto, que R$ 200 é a capacidade de poupança mensal do Felipe, já que ele tem a capacidade de pegar todo esse valor e guardar. Pode fazer ou não, depende de suas escolhas, mas essa é a capacidade real dele de poupar.

Para calcular o índice de poupança, basta dividir a capacidade mensal de poupança pela renda mensal.

$$\text{Índice de poupança} = \frac{\text{Capacidade de poupança}}{\text{Renda mensal}} \times 100$$

Fazendo a conta do Felipe, temos:

$$\text{Índice de poupança} = \frac{200}{5.000} \times 100 = 4\%$$

Isso significa que Felipe tem uma capacidade de poupar 4% de sua renda mensal, e conhecer esse número será muito importante no processo de enriquecimento que abordaremos em capítulos mais adiante.

Mas você deve estar se perguntando: qual é o índice de poupança ideal? Não é possível estabelecer um número perfeito que seja infalível e 100% preciso; no entanto, é possível refletir que a decisão de poupar ou não, como tudo que você faz na vida, gera uma consequência, e também que é bom perseguir como meta ter um bom índice de poupança.

Sem querer cravar o número, mas dando um norte, podemos entender um índice de poupança de 20% como algo que deve ser buscado por todo mundo. A lógica por trás do número é que, se você tem 20% de poupança, então gasta 80% da sua renda. E, sendo assim, a cada 4 meses poupa o equivalente a um mês de seu custo. A cada ano, poupa 3 meses de seu custo, sendo que seria possível ainda ter o 13º salário integralmente disponível para poupar, o que geraria uma capacidade anual de poupança equivalente a 4 meses de custo de vida – ou, pensando no caso de pessoas autônomas, elas podem até se dar ao luxo de ter um 13º salário.

Lembrando que, no caso de Felipe, essa pode ser a capacidade caso ele decida poupar os 20% mensalmente e integralmente o 13º salário. Porém, a capacidade pode não ser a realidade se, por exemplo, ele decidir gastar todo o 13º com lazer, viagem ou presentes. Desde que seja tudo à vista, ele continuará acumulando um mês de custo de vida a cada 4 meses, o que futuramente trará frutos absurdamente valiosos!

Qual é o seu índice de poupança? É necessário fazer a conta conforme todas as técnicas de orçamento já explicadas aqui no livro nos capítulos anteriores e chegar a essa resposta. Se o índice de poupança

104 Finanças na vida real

estiver muito longe dos 20%, então coloque esse número como uma espécie de meta a ser perseguida. Se você estiver acima dos 20%, então estamos falando aqui com um indivíduo muito superavitário, um verdadeiro investidor! Parabéns! Mais adiante no livro veremos dicas importantes também para a sua realidade.

É preciso, portanto, identificar o índice de poupança e trabalhar diligentemente para aproximar esse índice de 20%.

Noções de contabilidade básica

Para entender mais indicadores de finanças pessoais, é necessário ter algumas noções básicas de contabilidade. Podemos tomar emprestadas algumas demonstrações contábeis de empresas para que você faça o acompanhamento de sua evolução financeira pessoal. Delas, 2 se destacam:

► A DRE (demonstração de resultado do exercício);
► O balanço patrimonial.

A DRE nada mais é do que o resultado proveniente do orçamento. No Capítulo 3, foi explicada a diferença entre o orçamento planejado e a realidade. Em suma, o orçamento é uma estimativa do que vai acontecer, e a realidade é o que efetivamente vai ocorrer. Então, a DRE é a expressão numérica do que aconteceu num dado período, quanto efetivamente foi recebido de renda, quais foram os gastos do período e qual foi o resultado. Se quiser saber qual foi o resultado do exercício do mês de março nas suas finanças pessoais, basta observar tudo que foi recebido menos tudo que foi gasto e obter a resposta.

Demonstração do resultado (DRE)
(+) Receitas
...
...
...
(-) Despesas
...
...
...
(=) Resultado

O balanço patrimonial é a sua situação patrimonial. A declaração de imposto de renda, por exemplo, é uma foto financeira da sua vida com data de 31 de dezembro, que relaciona seus bens e direitos e suas obrigações e dívidas – em outras palavras, a sua evolução patrimonial.

Ao longo de vários exercícios, se seu DRE é sempre positivo, isso gera um determinado valor que vai sendo guardado no banco e que mês a mês vai aumentando. Daí é possível comprar uma casa, um carro, fazer aplicações financeiras, entre outras tantas decisões. Ou, se seu DRE não é positivo, você é obrigado a fazer dívidas para honrar seus compromissos. Muitas vezes o seu DRE é positivo, mas você resolve fazer a tal da alavancagem financeira,[1] tomando dinheiro emprestado para adquirir bens e serviços.

Então o balanço patrimonial é uma foto de sua situação financeira, numa data determinada, que demonstra tudo que você tem, tudo que deve e o que sobra. O balanço patrimonial é, portanto, dividido em 3 partes:

---

1   Alavancagem financeira é usar dinheiro de terceiros para realizar projetos – ou seja, é endividamento.

1. Ativos, que representam tudo que temos;
2. Passivos, que representam tudo que devemos;
3. Patrimônio líquido.

Balanço patrimonial	
Ativo	Passivo
...	...
...	...
...	...
...	...
...	Patrimônio líquido
...	...

O ativo é dividido também em 2 partes:

1.1. **Ativo circulante:** Contempla o patrimônio disponível para uso imediato (com maior liquidez) tais como dinheiro em espécie, saldo em conta corrente e aplicações financeiras.

1.2. **Ativo não circulante:** Contempla a parte do patrimônio que não pode ser rapidamente convertida em dinheiro, tal como veículos e imóveis.

O passivo circulante, por sua vez, também é dividido em 2 partes:

2.1. **Passivo circulante:** Contempla as obrigações com vencimento no curto prazo. São compromissos já assumidos e que devem ser honrados. Contempla também as dívidas a vencer com prazos inferiores a 12 meses.

2.2. **Passivo não circulante:** Contempla as obrigações de prazo superior a 12 meses, incluído as dívidas de longo prazo. No caso de um financiamento de veículo ou imobiliário, tudo que precisa ser pago em até 12 meses pode-se colocar no passivo circulante e aquilo que deverá ser pago além dos 12 meses, no passivo não circulante.

Ao entender de maneira mais qualitativa o que você tem em seu ativo, é possível analisar melhor sua condição financeira. Algumas pessoas conseguem acumular muito patrimônio ao longo de uma vida, porém, acumulando preponderantemente no ativo não circulante (tal como imóveis). E se a proporção do ativo circulante for muito baixa, pode ter problemas financeiros, não por causa de falta de patrimônio, mas por falta de disponibilidade de capital para honrar compromissos imediatos. Por isso não basta se preocupar apenas com a evolução patrimonial, mas sim a maneira como esse patrimônio está distribuído entre o ativo circulante e o não circulante.

O patrimônio líquido é nada menos do que ativos menos passivos. Se o patrimônio líquido for um número positivo, esse é o tamanho real do patrimônio. Se o patrimônio líquido for negativo, então o indivíduo não possui qualquer patrimônio, porque o total de suas dívidas é maior que o total dos seus bens. Veja o exemplo a seguir:

Balanço patrimonial	
Ativo	**Passivo**
Ativo circulante	**Passivo circulante**
Conta corrente: R$ 1.000,00	Parcelamentos: R$ 3.000,00
Poupança: R$ 10.000,00	Financiamento do veículo: R$ 7.000,00
	Financiamento do imóvel: R$ 12.000,00
Ativo não circulante	**Passivo não circulante**
Veículo: R$ 30.000,00	Financiamento do veículo: R$ 18.000,00
Imóvel: R$ 200.000,00	Financiamento do imóvel: R$ 150.000,00
	Patrimônio líquido Ativo-Passivo: R$ 51.000,00
Total: R$ 241.000,00	Total: R$ 241.000,00

108   FINANÇAS NA VIDA REAL

Esse é o balanço patrimonial da fisioterapeuta Aline, que desde muito nova queria morar sozinha e, assim que pôde, financiou um imóvel para sair da casa dos pais. Logo em seguida, para facilitar a ida à casa dos pais e os programas com os amigos, ela achou que era uma boa ideia financiar também um carro – afinal, sua renda mensal permite aprovação nos 2 financiamentos facilmente. Levantando os bens e as dívidas dela, temos um total no ativo de R$ 241 mil e um total no passivo de R$ 190 mil. Diminuindo um pelo outro, temos o patrimônio líquido de R$ 51 mil. Por isso o somatório da coluna da direita no balanço patrimonial será igual ao somatório da coluna da esquerda de maneira que:

▶   Ativo = Passivo + PL
▶   PL = Ativo - Passivo
▶   Passivo = Ativo - PL

É interessante observar que não basta que os ativos cresçam ao longo do tempo, mas também o patrimônio líquido. Se você adquirir um imóvel por R$ 500 mil, dando R$ 50 mil de entrada e financiando R$ 450 mil, não pode pensar "agora tenho um bem de R$ 500 mil". Não tem. Os R$ 500 mil entrarão na coluna dos ativos, nos ativos não circulantes, porém os R$ 50 mil que estavam no ativo circulante deixarão de existir (pois foram usados como entrada), e os R$ 450 mil (do financiamento) entrarão na coluna do passivo, o que significa que a alteração do patrimônio líquido entre uma coisa e outra é nula. Ao longo do tempo, com o pagamento das parcelas, aí sim o valor do financiamento vai diminuindo e vai gerando um crescimento gradativo no patrimônio líquido. Lembrando que os juros também trarão impacto no crescimento do passivo.

Agora que essas demonstrações contábeis estão claras, podemos avançar nos indicadores de finanças pessoais.

O ÍNDICE DE COBERTURA

Existe outro índice igualmente importante que você precisa observar: o índice de cobertura. Esse índice demonstra o quão protegido está um indivíduo com relação às suas finanças – ou seja, sua proteção com relação às suas necessidades de sobrevivência. Quanto tempo você poderia sobreviver sem salário? Por quantos meses estaria coberto diante dessa situação? Para saber essa resposta, basta calcular o índice de cobertura conforme abaixo:

$$\text{Índice de cobertura} = \frac{\text{Ativo circulante}}{\text{Despesa mensal}}$$

Vamos considerar que o balanço do Felipe (lembra-se dele?) seja idêntico a este último, da fisioterapeuta Aline. Com R$ 5 mil de renda mensal e R$ 4.800 de despesas mensais, ele tem R$ 200 de capacidade de poupança, que usamos no cálculo do índice de poupança, então o índice de cobertura dele seria calculado da seguinte forma:

$$\text{Índice de cobertura} = \frac{11.000}{4.800} = 2,29$$

Isso significa que o Felipe possui uma cobertura superior a 2 meses de suas despesas mensais, de maneira que, se ficasse sem renda repentinamente, esse seria o prazo em que suas despesas mensais estariam cobertas pela parte do seu patrimônio que está disponível para uso no ativo circulante.

Não existe também um número perfeito para o índice de cobertura, porém é possível concluir que, quanto maior, melhor. É possível utilizar esse índice também no momento de decisões que envolvam imobilização de capital. Se você pode fazer a aquisição de um carro ou de um imóvel, precisa ter em mente de que vai tirar patrimônio do ativo circulante e colocar no ativo não circulante. Assim, é bastante recomendável que antes se defina um índice de cobertura mínimo desejável, segundo seu próprio conforto, para sua tranquilidade financeira.

Note também que o índice de cobertura é uma das maneiras de minimizar impactos que possam ser produzidos pelas situações emergenciais, tratadas no capítulo anterior. Ou seja: um modo inteligente de transformar potenciais mordidas de tubarão numa boa moqueca!

É preciso, portanto, identificar o índice de cobertura e trabalhar diligentemente para que ele esteja num tamanho confortável para garantir tranquilidade financeira.

O ÍNDICE DE LIQUIDEZ

Pessoas podem passar por dificuldades financeiras mesmo possuindo um patrimônio elevado, e isso foi demonstrado quando abordamos a importância da proporção de ativos circulantes e não circulantes no patrimônio. Da mesma forma, empresas podem quebrar com lucro! Sim, isso pode ocorrer, porque, embora possam gerar vendas com lucro, pode acontecer de faltar capital para as necessidades financeiras do curto prazo de compromissos já assumidos.

Por esse motivo, a liquidez pessoal deve ser monitorada, e isso pode ser feito exatamente por esse índice. Um bom índice de liquidez é a garantia de ter mais facilidade para honrar os compromissos de curto prazo já assumidos. Para saber como está o seu índice de liquidez, basta observar a fórmula abaixo:

$$\text{Índice de liquidez} = \frac{\text{Ativo circulante}}{\text{Passivo circulante}}$$

Usando o mesmo balanço patrimonial da Aline, que vimos anteriormente neste capítulo, temos:

$$\text{Índice de liquidez} = \frac{11.000}{22.000} = 0,5$$

O ideal é que o índice de liquidez seja de pelo menos 1, ou seja, que o ativo circulante seja pelo menos igual ao passivo circulante. E há basicamente 2 formas de melhorar esse indicador: aumentando o ativo circulante ou reduzindo o passivo circulante. Por isso, quando você elimina as dívidas, seu índice de liquidez melhora. Entre as 2 opções, atacar o endividamento é o mais desejável, porque as aplicações financeiras rendem menos do que o custo dos empréstimos contraídos, e, assim, amortizar os empréstimos com desconto acelera ainda mais a melhoria desse importante índice.

Em empresas, o nome dado ao índice de liquidez é índice de liquidez corrente. Para que se possa entender o tamanho da importância desse índice, ele é um dos indicadores-chave para analistas de ações ao avaliar empresas.

Um dos maiores investidores em ações de todos os tempos, Warren Buffett, jamais escondeu que grande parte de sua compreensão dos mercados financeiros veio de Benjamin Graham. Buffett afirma que leu pela primeira vez o livro *O investidor inteligente*, de autoria de Graham, em 1950 (um ano após a publicação), e considera esse o melhor livro sobre investimentos em ações que já existiu, de longe. Buffett considera que Ben Graham foi muito mais do que um autor de livros ou seu professor: Buffett considera Graham o homem que mais o influenciou em toda a sua vida.

Mas por que estamos falando de Graham? Apenas para que todos saibam da importância desse nome no mundo dos investimentos e para lembrar que, no mesmo livro, Graham não apenas menciona o índice de liquidez corrente, como também o considera tema de suma importância. Graham considera que as empresas – dependendo do segmento em que atuam – deveriam ter um índice de liquidez corrente de pelo menos 2.

Se o professor do maior investidor de todos os tempos considera o índice de liquidez um indicador importantíssimo na avaliação de empresas, será que não deveríamos dar a mesma importância quando pensamos em finanças pessoais? A resposta é simples: certamente que sim!

Conhecer o próprio índice de liquidez e trabalhar para mantê-lo acima de 1 é uma atitude inteligente e reforça mais ainda a importância da política pessoal de endividamento zero!

O ÍNDICE DE ENDIVIDAMENTO

No caso das dívidas, é prudente avaliar qual é o tamanho da sua com relação aos bens que você possui. Isso evita que ela se torne excessiva e permite acender sinais de alertas e atitudes emergenciais caso ultrapasse determinados níveis. Como já concluímos, a política pessoal de dívida zero deve ser perseguida, mas, se as dívidas estão presentes agora e ainda não foi possível quitá-las usando o método 1-2-3, que vimos no Capítulo 6, mensurar seu tamanho é desejável. Pessoas diferentes podem contrair dívidas de diferentes montantes e, em alguns casos, podem ser muito ou pouco representativas quando comparadas ao patrimônio que cada uma possui. Uma dívida de 1 milhão para um indivíduo que possui um patrimônio de 20 milhões pode ser muito menos representativa do que uma dívida de 50 mil para um indivíduo que não tem nada.

É justamente isso que o índice de endividamento ajuda a mensurar, e para calculá-lo deve-se proceder conforme abaixo:

$$\text{Índice de endividamento} = \frac{\text{Passivo}}{\text{Ativo}} \times 100$$

Retomando o balanço patrimonial do exemplo da Aline, temos:

$$\text{Índice de endividamento} = \frac{190.000}{241.000} \times 100 = 79\%$$

Caso o índice de endividamento alcance o percentual de 100%, significa que a pessoa tem dívidas que equivalem a todo o seu patrimônio, e, portanto, o seu patrimônio líquido é zero. Se for maior que 100%, significa que o patrimônio líquido é negativo, ou seja, mesmo que ela venda tudo que possui, ainda assim isso não será suficiente para quitar as dívidas.

Alguém que deseje se desenvolver financeiramente deve acompanhar a evolução do índice de endividamento, reduzindo-o ao longo do tempo. Não existe um número adequado para esse indicador, mas a situação mais favorável é que o passivo seja zero ou muito baixo, de maneira que o próprio índice esteja próximo de zero, ou seja: quanto menor, melhor!

O ÍNDICE DE RIQUEZA

> "Plantei uma sementinha na sua cabeça."

Às vezes queremos convencer amigos ou familiares sobre uma ideia, mas sabemos que se trata de uma situação que leva tempo até que amadureça. Pode ser inclusive uma quebra de paradigma, de alguma verdade estabelecida que impeça as pessoas de enxergarem uma nova possibilidade. O que fazemos nesses casos? Normalmente pegamos algum fragmento da ideia na forma de *insight* ou de questionamento e lançamos para que os outros possam captá-la e desenvolver o raciocínio, levando-os a uma nova visão sobre determinado tema.

O índice de riqueza lançará agora a sementinha que vai ser irrigada e que poderá florescer adiante, neste livro, e para compreendê-lo é preciso que você desenvolva a ideia de renda passiva!

Diariamente você realiza atividades profissionais, seja remotamente ou na empresa para a qual trabalha. Sempre a mesma coisa, e cada dia trabalhado é mais um dia computado para que, no início do mês seguinte, você receba seu salário e custeie suas despesas de subsistência. Todo santo dia a mesma coisa: acorda cedo, toma café, escova os dentes, toma banho e sai para trabalhar. Vamos colocar a sementinha na conversa: e se existisse uma outra pessoa que também levantasse cedo, tomasse o café e saísse para trabalhar, porém, ao final do mês, os frutos do trabalho dessa pessoa fossem revertidos a você, que receberia um valor adicional em seu salário pelo trabalho dela? E se essa pessoa seguisse se desenvolvendo, e a cada mês gerasse um aumento cada vez maior em seu salário? E se num belo dia essa pessoa gerasse um montante financeiro igual ao seu próprio salário, de maneira que, mesmo sem trabalhar mais, você recebesse do mesmo jeito? Isso é possível? Sim, é claro que é.

Repare que, nesse caso, você poderia construir uma renda mensal que não depende de seu próprio esforço diário, ou seja, uma renda passiva. Porém, não estamos falando aqui de escravizar uma outra pessoa, muito longe disso! A ideia é entender o que é renda passiva, que nada mais é do que uma renda que independe de nosso próprio esforço diário para conquistá-la.

"E como eu posso obter renda passiva?", você deve estar se perguntando. Há diversas formas, e você certamente tem conhecidos ou parentes que já vivem usando uma delas. Pessoas que constroem ou compram imóveis para locação estão criando meios de obter renda passiva. Uma vez alugados, não geram mais a necessidade de trabalho – na verdade, podem até exigir algum trabalho, mas não diário. Pessoas que possuem o bom hábito de poupar e aplicam dinheiro no mercado financeiro obtêm renda passiva em forma da rentabilidade dos investimentos. Direitos autorais recebidos com venda de livros e músicas também geram renda passiva. Canais do YouTube com publicidade também podem gerar renda passiva ao longo dos anos. Dividendos de empresas nas quais se tem participação também são um exemplo de renda passiva.

Como você pode observar, há diversos exemplos de geração de renda passiva, e o índice de riqueza está diretamente associado à construção dela. Se você for capaz de, no futuro, obter renda passiva suficiente para custear todas as suas despesas mensais, então se tornará independente financeiramente. Pronto, está aí a sementinha!

Dessa forma, para calcular o seu índice de riqueza, use a fórmula abaixo:

$$\text{Índice de riqueza} = \frac{\text{Renda passiva}}{\text{Despesas mensais}} \times 100$$

Se um indivíduo tem ganhos mensais de R$ 6.500, sendo R$ 6 mil como salário e R$ 500 provenientes de renda passiva, e gasta mensalmente R$ 5 mil, ele tem o seguinte índice de riqueza:

$$\text{Índice de riqueza} = \frac{500}{5.000} \times 100 = 10\%$$

O conceito clássico de independência financeira é justamente este: gerar renda passiva que seja suficiente para custear as despesas, o que é alcançado quando o índice de riqueza alcança 100%.

Porém, você deve observar uma questão importante: existe a renda passiva necessária para custear as despesas atuais e existe a renda passiva necessária para custear o nível de vida desejado. Se uma pessoa tem hoje gastos de R$ 1 mil e renda passiva de R$ 1 mil, ela pode ter, no momento, o índice de riqueza de 100%, porém pode ser que ela ambicione melhorar seu estilo de vida e talvez entenda que uma despesa mensal de R$ 8 mil atenderia melhor a seus desejos. Dessa forma, ela deve tomar como referência não a despesa mensal atual, mas sim a estimada para o nível de vida que pretende levar.

Esse exercício é importante para Ana, por exemplo, porque hoje, aos 21 anos, ela mora com os pais e tem poucos custos. Ela acha que pode alcançar a independência financeira gerando uma renda passiva baixa, com o aluguel que recebe da casa que herdou da avó – e sabemos que isso não seria verdadeiro. A despesa mensal a ser considerada deveria ser a estimada para uma vida adulta, independente e em família, já que isso faz parte dos planos dela para o próximo ano.

Um outro aspecto que merece atenção é quanto à decisão prematura de viver da renda passiva. Enquanto a renda passiva é gerada e não é usada como meio de subsistência, ela é reincorporada ao patrimônio, fazendo-o crescer ainda mais a cada mês e permitindo uma renda passiva ainda mais elevada no futuro.

O monitoramento do índice de riqueza é importante porque mostra como você está nessa trajetória. No entanto, a recomendação é a de que não se utilize a renda passiva enquanto ela não for, por si só, suficientemente confortável para custear as despesas mensais. Caso seja usada prematuramente, não produzirá um efeito de multiplicação acelerada do capital, o que será detalhado nos próximos capítulos. A semente está plantada!

Resumo do capítulo:

- Entender os indicadores financeiros ajuda na compreensão da realidade financeira.
- O índice de poupança a ser perseguido deve ser de 20%.
- Noções de contabilidade básica ajudam no desenvolvimento financeiro.
- Não há um número ótimo para o índice de cobertura, porém, quanto maior, melhor.
- O índice de liquidez mínimo desejável é de 1.
- Quanto menor o índice de endividamento, melhor.
- É preciso ter ideias para a criação de renda passiva.
- O índice de riqueza representa o quão distante estamos da independência financeira.

Indicadores financeiros proporcionam um raio X preciso da situação global!

Capítulo 8

O CAMINHO DO EMPOBRECIMENTO E O CAMINHO DO ENRIQUECIMENTO

No capítulo anterior, falamos sobre noções de contabilidade e o conceito de renda passiva. Utilizaremos esses 2 aprendizados para entender os processos de empobrecimento e de enriquecimento. Assim, você pode identificar qual caminho está trilhando e ajustar os rumos ou acelerar.

Dentro do balanço patrimonial, identificamos a diferença entre os ativos circulantes – de alta liquidez – e os ativos não circulantes – de baixa liquidez. Além dessa distinção, cabe ainda outra reflexão sobre a coluna de ativos para aumentar ainda mais a sua eficiência: se os ativos representam nossos bens, então é possível classificar também quanto à sua contribuição na formação de patrimônio.

ATIVOS IGUAIS, FINANÇAS DIFERENTES!

Imagine que João e Pedro, ambos com 66 anos mas ainda trabalhando, possuem ativos exatamente iguais: 2 imóveis. Os 2 imóveis de

João são: um apartamento no valor de R$ 800 mil, onde reside, e um apartamento na praia, de R$ 300 mil, onde fica nos fins de semana. Pedro, por sua vez, também mora num apartamento avaliado em R$ 800 mil, onde reside, e tem um segundo imóvel também no valor de R$ 300 mil, que aluga para terceiros. Além dos imóveis, ambos têm R$ 150 mil em aplicações financeiras e nenhuma dívida no passivo. Assim, a representação do balanço de ambos será a seguinte:

Balanço patrimonial de João e de Pedro	
Ativo	Passivo
Ativo circulante	**Passivo circulante**
Poupança: R$ 150.000	Parcelamentos: R$ 0
Ativo não circulante	**Passivo não circulante**
Imóvel 1: R$ 800.000	
Imóvel 2: R$ 300.000	
	Patrimônio líquido
	Ativo-Passivo: R$ 1.250.000
Total: R$ 1.250.000	Total: R$ 1.250.000

Aparentemente não há nenhuma diferença entre a situação de ambos, e, quando olhamos a posição patrimonial, realmente não há. Porém, existe uma diferença importante: Pedro adquiriu um imóvel de R$ 300 mil com a finalidade de alugar, enquanto João adquiriu um imóvel do mesmo valor para passar os fins de semana. Assim, o imóvel de Pedro gera renda passiva, enquanto o imóvel de João é um ativo gerador de despesas (como IPTU, luz, água etc.).

Se Pedro for bem-sucedido na locação do imóvel, ele terá um aumento em sua renda mensal, pois receberá o salário do trabalho mais a renda do aluguel. Já João terá uma redução na sua flexibilidade financeira, pois seu imóvel da praia vai gerar custos que impactarão na sua demonstração de resultado mensal. De qualquer modo, não devemos fazer julgamentos sobre a opção de João com relação à de Pedro. Se João tem o desejo de manter uma segunda residência para os fins de semana, trata-se de um sonho pessoal que não convém menosprezar. Porém, é imprescindível observar que esse sonho gera um impacto financeiro, e isso precisa ser avaliado para que se tome a decisão com consciência.

Concluindo, além de observar se a proporção de ativos circulantes está adequada com relação aos ativos não circulantes, pois isso impacta no índice de cobertura e no índice de liquidez, há significativas oportunidades de uma análise ainda mais aprofundada do ativo quando se separam os bens pelo uso que queremos dar a ele, como ativos geradores de renda e ativos geradores de despesa, que impactam no índice de riqueza.

A RELAÇÃO ENTRE BALANÇO PATRIMONIAL E DEMONSTRAÇÃO DE RESULTADO

Se a situação de João e Pedro ajuda a avaliar melhor os ativos, também pode dar uma luz para verificar a relação entre o balanço patrimonial e a demonstração de resultado. O processo de enriquecimento se dá pelo aumento do patrimônio líquido, e, assim, acumular ativos e reduzir o passivo é o que promove esse crescimento ao longo de uma vida.

E como é o processo natural de acumulação de ativos? Simples, por meio de resultados positivos nas sucessivas demonstrações de resultado mensais. Se a demonstração de resultado lhe mostra todas as suas receitas e todas as suas despesas e o respectivo resultado, então é em função desse resultado que você terá capital suficiente para acumular ativos.

Como João e Pedro chegaram ao patrimônio atual? O salário médio de João era equivalente a R$ 5 mil/mês, e ele conservou as despesas em R$ 3.500, poupando mensalmente a média de R$ 1.500 durante 30 anos. Além disso, poupava parte significativa do 13º salário e de bonificações recebidas e, contando também com a própria atualização dos valores dos imóveis, chegou ao patrimônio atual. Pedro sempre ganhou um pouco menos, equivalente a R$ 4 mil/mês, na média, e manteve suas despesas em R$ 2.500, poupando os mesmos R$ 1.500 mensalmente pelo mesmo período e aproveitando as outras receitas, tal como João fez.

A produção de um excedente mensal (receita menos despesa) equivale ao comportamento superavitário explicado no Capítulo 3. E a cada mês, cada um deles pegou os R$ 1.500 e adicionou à coluna de ativos. Primeiro aplicaram na caderneta de poupança e, à medida que o valor aumentou, adquiriram o primeiro imóvel. Depois o segundo imóvel, e mantiveram a conduta de continuar poupando, formando novamente a poupança atual de R$ 150 mil, que permite um índice de cobertura bem confortável para o padrão de vida atual.

Perceba, portanto, que a demonstração de resultado positiva permite acumulação de ativos ao longo do tempo, que vão aparecer ali no balanço patrimonial. Por outro lado, uma demonstração de resultado negativa ocasiona a acumulação de passivos ao longo do tempo, promovendo o aumento do passivo e redução do patrimônio líquido. Uma conduta de "trocador de cebola" – como vimos também no Capítulo 3 – não gera, a princípio, aumento de passivo nem tampouco aumento de ativo, impossibilitando o crescimento patrimonial.

A situação de João e Pedro pode ser representada pela seguinte dinâmica de construção patrimonial, relacionando demonstração de resultado e balanço patrimonial:

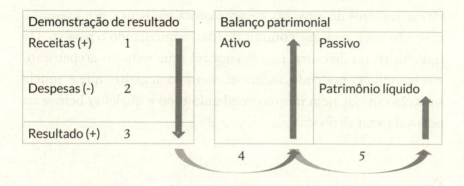

A dinâmica é a seguinte: a renda é recebida (1), posteriormente as despesas de sobrevivência são pagas (2) e obtém-se o resultado (3) positivo. Com esse saldo positivo, o valor é acumulado na coluna de ativos (4), que gera, por consequência, crescimento patrimonial (5). Agora, se considerarmos esse processo ocorrendo mês a mês, teremos uma promissora máquina de formação de patrimônio ao longo do tempo!

No caso de uma administração financeira mensal ruim, o processo passa a ser o inverso, conforme a seguir:

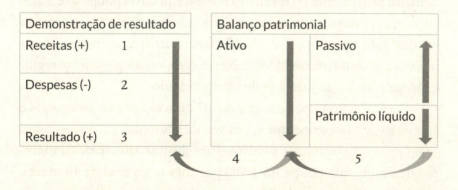

Nesse outro caso, o descontrole financeiro leva a despesas maiores do que receitas. Sendo assim, recebe-se o salário (1) e, ao pagar as despesas (2), falta dinheiro. Para suprir essa falta, o indivíduo necessita retirar recursos do ativo (4), de uma conta-poupança, por exemplo, e, se não tiver, terá que contrair dívidas, aumentando o passivo. De uma forma ou de outra, isso ocasionará uma redução do patrimônio líquido (5), podendo, inclusive, torná-lo negativo, que é aquela situação em que nem mesmo vendendo todo e qualquer bem seria possível pagar as dívidas.

DECISÕES QUE AFETAM O ATIVO OU O PASSIVO

Como vimos, sucessivos resultados positivos mensais são oportunidades de formação de patrimônio. Porém, essa é apenas uma oportunidade, porque, dependendo do uso que for dado a esse saldo, ele pode aumentar o ativo ou o passivo. Sim, é possível usar sobras de dinheiro para aumentar o patrimônio, mas também é possível utilizar as sobras para diminuir o patrimônio!

A primeira situação, e a mais óbvia, é a de que uma vez que sobre dinheiro proveniente do resultado mensal é possível poupá-lo e assim aumentar o ativo. Pode-se acumular seguidamente até o momento em que você tiver a opção de decidir fazer outra coisa, como adquirir um veículo ou um imóvel à vista. Nesse caso, vai simplesmente seguir a fórmula básica de João e Pedro, progredindo.

Porém, existem pessoas que no afã de acelerar suas conquistas e aquisição de bens tropeçam e, em vez de acumular em ativos, usam o dinheiro para acumular passivos. Para ilustrar, trouxemos o exemplo de Paulo, que poupa R$ 1.500 por mês e, ao final de 10 meses, tem R$ 15 mil acumulados. Agora imagine que ele resolva usar esses R$ 15 mil como entrada num carro de R$ 60 mil e financiar os R$ 45 mil restantes. Nesse instante, Paulo está utilizando um recurso não para acumular ativos, mas para se endividar e aumentar consideravelmente o passivo. Ciente de que o financiamento tem juros, provavelmente ele estará mais pobre ao final do financiamento do que estaria se não contraísse a dívida. Por pior que seja, ele ainda terá um bem que, após uns 5 anos, vai valer perto da metade do valor no início – uma vez que carros desvalorizam rápido com o passar do tempo. Trata-se, portanto, de usar dinheiro para promover perdas patrimoniais.

Outro caso de perda patrimonial ainda maior é o de Júlio e Fátima. Eles juntaram R$ 15 mil para dar de entrada numa viagem à Disney, que é o sonho das 2 filhas, planejando gastar R$ 30 mil. Assim, eles não apenas zeraram seu ativo, como também construíram uma dívida no passivo de R$ 15 mil mais juros do cartão de crédito e do cheque especial. Não estamos fazendo juízo de valor de quanto vale a experiência de uma viagem internacional com a família, que obviamente é sensacional, porém a reflexão é sobre a maneira de conquistá-la. Resumindo, é preciso ter cuidado para não utilizar dinheiro para criar passivo, mas sim ativos!

COMO ACELERAR O CRESCIMENTO DOS ATIVOS

Agora que o processo de formação de patrimônio está claro, nasce uma dúvida: seria possível acelerar a formação de patrimônio e o crescimento dos ativos? Sim, é claro! E a resposta inclusive já foi dada aqui, neste capítulo! Lembra que fizemos uma divisão do ativo entre ativos geradores de renda passiva e ativos geradores de despesas? Assim é bem fácil encontrar a resposta.

João e Pedro possuem o mesmo patrimônio, porém o segundo imóvel de João é usado para lazer nos fins de semana e gera despesas, enquanto o segundo imóvel de Pedro é usado para gerar renda de aluguel. Essa diferença vai aparecer agora.

126 FINANÇAS NA VIDA REAL

Todos os dias João e Pedro acordam para ir trabalhar e ganhar o sustento. Porém, no caso de Pedro, além dele, o seu próprio imóvel também está trabalhando (inclusive 24 horas por dia) ao hospedar um inquilino e gerar uma renda adicional, além do salário. Com isso, Pedro obtém uma capacidade de poupança aumentada. Lembrando que João ganha R$ 5 mil e gasta R$ 3.500, poupando R$ 1.500/mês. E Pedro ganha R$ 4 mil (ou seja, menos que João), gasta R$ 2.500 e poupa R$ 1.500. Porém, Pedro tem agora uma renda passiva proveniente do aluguel do seu segundo imóvel, no valor de R$ 600. Assim, a capacidade de poupar de Pedro aumentou de 1.500 para 2.100, o que lhe permite um processo de acumulação de ativos mais acelerado.

Outra diferença é que, enquanto João mantém seus recursos na poupança, Pedro está estudando como fazer investimentos financeiros melhores e vai aumentar a rentabilidade das suas aplicações. Pedro também tem como hábito se informar sobre o mercado imobiliário, tentando identificar oportunidade de compra de um imóvel abaixo do valor de mercado, pensando num segundo imóvel para aluguel, e, além disso, seu filho, Josué, é um jovem empreendedor dedicado e está iniciando um negócio. Pedro está avaliando a possibilidade de fazer um investimento de R$ 50 mil na *startup* do filho, enquanto o negócio ainda é pequeno, e ter uma participação que pode valer muito no futuro, além de gerar dividendos, caso seja bem-sucedido.

João, por sua vez, não gosta muito de pensar em investimento e está planejando comprar um barco, já que gosta de pescar. O barco será mais um ativo gerador de despesa, mas a pescaria acompanha João a vida toda, e isso é algo que ele deseja muito realizar, especialmente nos finais de semana, quando estiver em seu apartamento na praia.

Observando as escolhas de ambos, é possível verificar que Pedro está sempre em busca de usar seus recursos para adquirir mais ativos geradores de renda passiva, enquanto João está mais interessado em usufruir da sua condição de vida, conquistada com muito suor ao longo das últimas décadas.

O ensinamento que Pedro nos proporciona é o de que, ao se dedicar a ampliar seus ativos com ativos geradores de renda, sua capacidade de poupança será cada vez maior, gerando ainda mais ativos, ainda mais renda e assim sucessivamente. É bem natural que no caminho trilhado por Pedro, o seu índice de riqueza suba frequentemente, aproximando-o da independência financeira clássica, quando os ativos geram renda passiva suficiente para seu sustento na velhice.

A dinâmica de Pedro pode ser representada conforme abaixo:

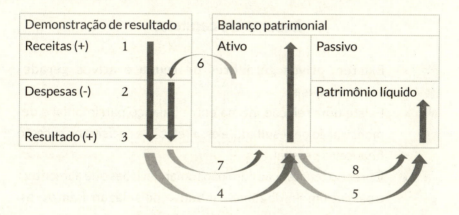

Pedro recebe sua renda (1), paga suas despesas (2) e apura um resultado positivo (3). Com esse resultado positivo, ele investe em ativos geradores de renda, como aplicações financeiras que geram juros, imóveis, pequenos empreendimentos (4) que, por sua vez, proporcionam seu crescimento patrimonial (5). Esses ativos produzem renda que se soma ao salário de Pedro (6), permitindo-lhe que aumente sua capacidade de poupança a cada mês e invista esses valores adicionais em mais ativos geradores de renda (7), aumentando ainda mais o patrimônio (8). Dessa maneira, Pedro garante um processo acelerado de formação de patrimônio, aumento gradativo dos índices de cobertura e, principalmente, do índice de riqueza. Pedro está definitivamente em busca acelerada pela independência financeira, e, mesmo com um salário mensal inferior ao de João, certamente terá uma trajetória superior de acumulação patrimonial.

O processo não é nada complicado: basta ser inteligente nas escolhas, não agir por impulso e ter disciplina. Se o foco for construir ativos geradores de renda, então o caminho de independência estará mais próximo a cada dia!

Resumo do capítulo:

- ▶ Existem ativos geradores de renda e ativos geradores de despesa.
- ▶ Existe uma relação íntima entre balanço patrimonial e demonstração de resultado, e essa relação é decisiva no sucesso financeiro pessoal.
- ▶ É preciso ter atenção para não tomar decisões que aumentem o passivo em vez de aumentar o ativo, pois elas atrasam o crescimento financeiro e o tornam muito mais custoso.
- ▶ É possível acelerar o processo de formação de patrimônio e construção da independência financeira dedicando-se à aquisição de ativos geradores de renda.

A compreensão das dinâmicas apresentadas neste capítulo contém o segredo para a escolha de trajetória de empobrecimento ou de enriquecimento.

Capítulo 9

JUROS: AMIGO OU INIMIGO?

No início deste livro, conversamos sobre os motivos de desenvolver as finanças pessoais e atacamos alguns mitos:

- ► Cuidar das finanças toma tempo;
- ► Cuidar das finanças é chato;
- ► Cuidar das finanças restringe a liberdade.

Em seguida, trouxemos dicas para a elaboração e melhoria do orçamento, como economizar com inteligência, o método de eliminação de dívidas e noções de contabilidade básica aplicada a finanças pessoais. Porém, muito mais importante do que as contas que você precisa fazer são os conceitos a aprender. Quando você compreender que, quanto maior o endividamento, maior a restrição do seu fluxo livre de dinheiro e das suas escolhas, não será mais necessário fazer todas as contas todos os dias. Ao entender o conceito, você saberá o que deve evitar. Ou seja: use a matemática como uma das ferramentas importantes para mensuração dos indicadores e quantificação dos

130 FINANÇAS NA VIDA REAL

diversos itens envolvidos, e, uma vez que os conceitos sejam internalizados, você vai parar de fazer conta sempre.

Neste capítulo vamos falar de juros, pois juros trazem um grande impacto nas suas decisões, e utilizaremos a matemática mais uma vez. Porém, novamente, é importante focar os conceitos, porque, ao entendê-los, e desculpa repetir, mas é importante que você entenda isso, não será preciso fazer conta nenhuma, somente aplicá-los. A matemática, em finanças pessoais, serve para demonstrar e validar todas as ideias que podem gerar o sucesso financeiro, e por isso sua importância.

VALOR DO DINHEIRO NO TEMPO

O empresário Alberto tinha um patrimônio total de R$ 100 milhões e, por isso, resolveu fazer um testamento no qual definiu como gostaria que sua riqueza fosse dividida. Assim que veio a óbito, o testamento foi aberto com instruções detalhadas. Após destinar R$ 90 milhões para seus familiares e parentes mais próximos, ele determinou que os últimos R$ 10 milhões fossem divididos entre 10 dos seus mais fiéis e antigos empregados, cabendo a quantia de R$ 1 milhão para cada um deles. Havia, no entanto, uma condição: o dinheiro destinado aos funcionários não seria transmitido imediatamente, e sim apenas depois de 10 anos de sua morte, cabendo ao filho mais velho, Victor, tomar as providências necessárias para que esse desejo se cumprisse exatamente como determinado.

O IMPACTO DA INFLAÇÃO

Os 10 funcionários nominados no testamento foram informados em conjunto da quantia que lhes cabia (R$ 1 milhão) e ficaram eufóricos.

Porém, logo em seguida, tomaram conhecimento das condições em que o dinheiro seria entregue e ficaram com muitas dúvidas. Resolveram convocar uma reunião apenas entre eles para discutir o assunto e compartilhar suas preocupações. Ana Paula, que trabalhava com Alberto havia mais de 30 anos, fez a seguinte colocação:

"Pessoal, fiquei muito feliz que o sr. Alberto tenha nos deixado esse valor. Foi muita generosidade da parte dele. Porém, uma coisa me preocupa: esse R$ 1 milhão pode mudar a minha vida, mas nós todos sabemos que o preço de tudo aumenta a cada mês que passa. Será que em 10 anos conseguiremos, com esse R$ 1 milhão, comprar as mesmas coisas que podemos comprar hoje? Será que por conta do aumento de preços ao longo do tempo não teremos uma perda significativa desse valor? Será que poderíamos fazer alguma coisa para proteger esse valor até podermos recebê-lo?".

O questionamento de Ana Paula era bem pertinente, e ela estava preocupada com a inflação, que nada mais é do que a velocidade com que o preço dos produtos sobe ao longo do tempo. Seria possível, caso ela pudesse adquirir uma bela casa no valor de R$ 1 milhão para sua família agora, comprar a mesma casa daqui a 10 anos pelo mesmo preço? Certamente não! E podemos observar isso no dia a dia. O preço dos produtos sobe, às vezes com velocidade mais acelerada (quando a inflação é mais alta) ou menos acelerada (quando a inflação é mais baixa), e isso reduz o poder de compra do dinheiro. Hoje R$ 10 não são capazes de comprar a mesma quantidade de pães franceses do que eram 10 anos atrás.

Foi então que Fernando, outra pessoa do grupo, fez o seguinte comentário:

"Ah, agora entendi! Lembro bem que às vezes o sr. Alberto negociava alguma coisa ao telefone, andando pelo jardim justamente enquanto eu cuidava das plantas. E eu ouvi mais de uma vez ele dizer que 'o valor do dinheiro muda ao longo do tempo.' Era exatamente isso que ele queria dizer! Eu realmente não entendia, porque pensava que a nota de R$ 10 sempre valia R$ 10. Sim, ela continua valendo R$ 10, mas é que ela vai comprar menos coisas quanto mais o tempo passar! É exatamente essa situação que estamos passando. Agora o R$ 1 milhão vale mais do que daqui a 10 anos, porque daqui a 10 anos não vai ser possível comprar a mesma quantidade de coisas!".

Não poderia haver situação melhor para explicar como a inflação corrói o dinheiro ao longo do tempo, o que comprova realmente a ideia de valor do dinheiro no tempo!

O VALOR DA LIQUIDEZ

Foi então que Carolina, outra funcionária, fez mais uma observação bem interessante:

"Eu me lembro também de uma vez que eu estava limpando o escritório do sr. Alberto e ele estava falando com o Osvaldo, o consultor financeiro pessoal dele. E vocês lembram que o sr. Alberto tinha muitos imóveis e que ele foi se desfazendo de todos eles ao longo dos últimos anos? Quando ele começou a vender os imóveis, eu cheguei a pensar que ele estava com problemas financeiros, mas naquele dia eles conversavam justamente sobre a importância de vender os imóveis para que ele pudesse ficar com todo o dinheiro à mão. Osvaldo tinha explicado que o patrimônio que ele tinha em imóveis era um patrimônio imobilizado e que, ao vendê-lo, ia se tornar um patrimônio com liquidez. Lembro também que ele queria vender todos os imóveis de uma só vez, porém Osvaldo o convenceu a não fazer isso. Para vender muito rápido, ele teria que baixar bem o preço, porque o mercado imobiliário naquela ocasião não estava muito aquecido. O mais adequado era fazer um planejamento para que os imóveis fossem anunciados gradativamente, e que o sr. Alberto tivesse paciência para esperar um pouco e vender nos preços certos, sem perdas. Sr. Alberto não estava realmente precisando de dinheiro rápido, tanto que aceitou o conselho de Osvaldo e foi se desfazendo dos imóveis um a um. Ou seja: um determinado valor vale mais se estiver disponível para uso imediato do que para uso futuro. É esse também o nosso caso!".

Todos concordaram com essa afirmação de Carolina e puderam perceber o valor da liquidez do patrimônio. Dinheiro disponível vale mais porque permite fazer escolhas imediatas! Ou seja: liquidez tem valor!

Foi devido à importância dada à liquidez, concluiu o grupo, que o sr. Alberto vendeu todos os imóveis que possuía – ficando apenas com a casa em que residia – e também com as participações em algumas empresas. Toda a herança foi distribuída em dinheiro vivo para todo mundo. Somente esses R$ 10 milhões estavam "empatados", não podiam ser retirados, e ninguém entendia o porquê.

Enquanto o encontro ocorria, Yuri digitava no computador tudo que era conversado e foi eleito para representar o grupo numa reunião que aconteceria com Victor, filho de sr. Alberto, a quem chamavam carinhosamente de "Vitinho". Seria a oportunidade de manifestar as preocupações dos funcionários com relação ao valor do dinheiro no tempo e ao valor da liquidez.

A REUNIÃO

Embora Vitinho fosse conhecido desde criança pelos funcionários que receberam a herança, Yuri estava reticente em como abordar os assuntos. Vitinho não era mais uma criança. Yuri estava preocupado em como as dúvidas seriam recebidas, já que todo o grupo era muito agradecido ao sr. Alberto e ninguém queria ter problemas de relacionamento com a família.

Victor recebeu Yuri calorosamente em seu escritório e disse que estava ali para ajudar no que fosse preciso e tirar todas as dúvidas que existiam. Yuri explicou que o grupo de funcionários havia se reunido pois eles tinham algumas dúvidas e preocupações sobre a herança.

Victor então resolveu explicar primeiro sobre o valor da liquidez:

"De fato, Yuri, a liquidez é muito poderosa e importante quando cuidamos das finanças. Muitas famílias passam dificuldades financeiras por ter patrimônio, mas não ter liquidez, e isso pode ser um problema para pagar as contas do dia a dia. Essa preocupação é extremamente pertinente, e entendo que sem liquidez vocês não possam fazer nada além de continuar conduzindo a vida sem nenhuma melhoria, já que o valor de R$ 1 milhão para cada um ainda não pode ser usado. A liquidez, porém, é tão importante que também é capaz de criar um estrago.

"Meu pai me explicou, antes de morrer, que a preocupação dele com vocês era que não acontecesse o mesmo que acontece com muitas pessoas que ganham prêmio na loteria e depois de 1 ano não têm mais nada. Isso acontece porque essas pessoas recebem uma grande quantia e gastam tudo rapidamente por causa de medidas equivocadas. O excesso de liquidez pode levar a decisões financeiras ruins e ao consumismo desenfreado. Por isso, a preocupação dele era justamente esta: que houvesse um período em que eu pudesse orientar vocês sobre finanças pessoais, para que então vocês se tornem aptos não apenas a receber o dinheiro, mas também a dar um bom uso a ele e realmente melhorar a vida. Então ele deixou para mim a tarefa de ensiná-los algumas lições e falou que eu mesmo posso avaliar o momento de liberar os recursos a vocês, podendo ser antes dos 10 anos. Porém, não é obrigatório que vocês aprendam comigo. Quem não quiser não precisa aprender. Porém, neste caso, o dinheiro realmente só será liberado daqui a 10 anos. A escolha será de cada um de vocês. Entendeu? Como vocês mesmos já perceberam, existe um valor muito grande em ter boa liquidez, porém isso pode se voltar contra quem não estiver preparado e levar um de vocês à ruína rapidamente. Era apenas isso que ele queria evitar".

JUROS

Yuri ficou muito satisfeito com a preocupação do sr. Alberto com os funcionários e concordou imediatamente com as explicações de Victor, mas insistiu:

"Ok, Vitinho, entendi. Porém, nós temos aquela outra preocupação que é quanto ao valor do dinheiro no tempo. Daqui a 10 anos, R$ 1 milhão vai valer menos do que vale hoje. Então, a cada dia, saberemos que esse valor vai valer menos, e se alguém tiver que esperar 10 anos vai receber ainda menos. Mesmo pensando em quem quiser aprender sobre finanças com você, os que aprenderem primeiro serão beneficiados em comparação aos que tiverem um pouco mais de dificuldade. Claro que estamos todos muito agradecidos pela herança deixada pelo seu pai, mas isso também pode gerar atritos entre a gente. Existe alguma maneira de resolver isso?".

Vitinho então esclareceu tudo para Yuri:

"Yuri, se você entendeu que o dinheiro tem valor no tempo, também já deve ter parado para pensar que é exatamente por isso que, quando um banco empresta dinheiro para alguém, no futuro ele recebe mais do que emprestou, certo? Imagine se um banco aceitaria emprestar hoje para receber a mesma coisa amanhã, sabendo que o valor do dinheiro diminui?! Faria sentido? Isso também ocorre pelo valor da liquidez. Imagine que uma pessoa tenha um dinheiro para receber em 30 dias, mas precise dele hoje. Ela vai ao banco e pega um empréstimo, para pagar no mesmo prazo do recebimento do dinheiro, recebe o dinheiro imediatamente e resolve seu problema. Ou seja: tanto o valor do dinheiro quanto o valor da liquidez são considerados pelo banco para emprestar esse dinheiro. É por isso que existem os juros. Juros são basicamente o custo de 'alugar' dinheiro por um determinado período".

"Vitinho", disse Yuri, "isso eu compreendi. Mas no nosso caso não vamos pegar empréstimo. Temos um dinheiro a receber."

"Perfeito, Yuri. É exatamente por isso que a orientação de meu pai foi não deixar o dinheiro de vocês parado numa conta, perdendo valor ao longo do tempo, e sim aplicado em investimentos financeiros seguros durante todo o período, de maneira que vocês têm R$ 1 milhão cada um hoje e, daqui a 10 anos, o valor maior do que R$ 1 milhão, considerando a inflação, tenha o poder de compra corrigido e seja possível adquirir os mesmos bens que R$ 1 milhão compra hoje! Ou seja: o valor de R$ 1 milhão é agora. Mas daqui a 10 anos vocês receberão mais, porque eu vou aplicar o dinheiro no banco. E, quando eu aplico esse dinheiro, na verdade estou *emprestando para o próprio banco*, e por isso ele vai me pagar juros! Então vocês terão a correção do valor da herança considerando todo o período em que o dinheiro ainda não estiver liberado! Isso resolve a sua preocupação?".

Yuri suspirou aliviado, pois as 2 grandes preocupações do grupo estavam esclarecidas. O valor do dinheiro no tempo não seria problema, porque seria corrigido pelos juros das aplicações financeiras e porque a liquidez aconteceria antes dos 10 anos para aqueles que topassem tomar algumas lições com Victor.

Tudo certo! Na verdade, era ainda melhor do que todos eles esperavam!

COMO CALCULAR OS JUROS

Depois da história da herança do sr. Alberto ficou clara a ideia sobre juros. Juros é o custo para alugar dinheiro. Temos 2 casos:

1. Pessoas que estão em dificuldades financeiras pegam dinheiro emprestado, fazem uso dele para pagar uma conta (o aluguel, por exemplo) e depois o devolvem;
2. Pessoas que estão com folga financeira e emprestam dinheiro para o governo, bancos ou empresas e, no futuro, recebem de volta o valor emprestado acrescido do valor desse aluguel de dinheiro.

O que pode não ter ficado claro é como esses juros são calculados. Algumas pessoas têm uma vaga ideia do que são juros, mas não têm a menor noção de como eles acontecem. Quanto é possível receber de juros? Quanto se paga de juros? É um valor fixo? É algo do tipo R$ 10 por dia? Como funciona na prática?

Na prática, o valor dos juros é definido em função da quantidade de dinheiro que vai ser emprestada, da taxa de juros combinada entre as partes e do tempo que levará para que o dinheiro seja devolvido. Assim, o montante final que o grupo de funcionários do sr. Alberto vai receber ao final de 10 anos será a soma do capital inicial (R$ 1 milhão) mais a taxa de juros de todo o período.

Digamos que, ao final dos 10 anos, R$ 1 milhão renda R$ 628.894 de juros. Dessa forma, o montante final será de R$ 1.628.894.

JUROS SIMPLES

Resumindo, o valor do montante final é calculado após um determinado prazo em que um capital inicial é corrigido por uma taxa de juros.

Só que existem 2 maneiras de fazer essa conta. Se o capital inicial é de R$ 1 milhão, então os juros vão incidir sempre sobre o capital inicial. Chamamos essa modalidade de atualização do valor de juros simples.

Veja abaixo o cálculo do montante final dos funcionários do sr. Alberto, em que o valor seria corrigido a uma taxa de 5% ao ano, em juros simples:

Valor inicial	R$ 1.000.000
Taxa de juros anual	5%

Tempo	Valor atualizado (em R$)
Ano 0	1.000.000,00
Ano 1	1.050.000,00
Ano 2	1.100.000,00
Ano 3	1.150.000,00
Ano 4	1.200.000,00
Ano 5	1.250.000,00
Ano 6	1.300.000,00
Ano 7	1.350.000,00
Ano 8	1.400.000,00
Ano 9	1.450.000,00
Ano 10	1.500.000,00

Na tabela, é possível verificar que o capital inicial é de R$ 1 milhão e a taxa é de 5% ao ano. Assim, a cada ano a taxa produz R$ 50 mil. Então basta adicionar R$ 50 mil anualmente que se chega ao valor final de R$ 1,5 milhão em 10 anos.

JUROS COMPOSTOS E BOLA DE NEVE

Normalmente ouvimos nos noticiários ou nas dicas de finanças que se deve tomar cuidado para que as dívidas não virem uma bola de neve. E ouvimos, nesse contexto, falar sobre os chamados "juros sobre juros", que fazem com que endividados tenham cada vez mais dificuldade para resolver problemas financeiros. A ideia de juros sobre juros e de bola de neve nada mais é do que a segunda maneira de fazer a conta de um determinado montante final, considerando o capital inicial, a taxa e o tempo — que é conhecida como juros compostos.

Essa segunda maneira não apenas corrige o capital inicial pela incidência dos juros sobre o capital inicial, mas também sobre os próprios juros gerados a cada novo ciclo. Para entender o efeito dos juros compostos, basta observar a tabela a seguir contendo as mesmas condições da tabela de juros simples, porém sendo corrigida em juros compostos.

Valor inicial	R$ 1.000.000
Taxa de juros anual	5%

Tempo	Valor atualizado (em R$)
Ano 0	1.000.000,00
Ano 1	1.050.000,00

Tempo	Valor atualizado (em R$)
Ano 2	1.102.500,00
Ano 3	1.157.625,00
Ano 4	1.215.506,00
Ano 5	1.276.281,00
Ano 6	1.340.095,00
Ano 7	1.407.100,00
Ano 8	1.477.455,00
Ano 9	1.551.328,00
Ano 10	1.628.894,00

Ao final dos mesmos 10 anos, em juros compostos o montante final soma R$ 1.628.894 atualizado e, em juros simples, R$ 1,5 milhão. Uma diferença significativa de R$ 128.894. Isso se explica porque a cada novo ano a taxa de 5% é aplicada não apenas sobre o capital inicial, mas sobre o capital inicial atualizado. Enquanto na tabela de juros simples verifica-se que o crescimento do valor atualizado é sempre em função dos 5% sobre o capital inicial de R$ 1 milhão, na tabela de juros compostos verifica-se que os 5% no ano 2 não são calculados sobre o valor inicial de R$ 1 milhão, mas sim sobre o valor atualizado ao final do ano 1, de R$ 1.050.000. E assim sucessivamente, ano a ano, de maneira que os próprios juros geram juros sobre eles mesmos, criando um efeito acelerado de correção do capital.

Todo o mercado financeiro usa os juros compostos, de maneira que qualquer montante a ser corrigido sempre será calculado sobre o saldo atualizado, gerando tal efeito.

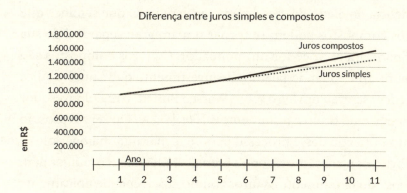

Juros: amigo ou inimigo, afinal?

Uma vez que os juros compostos são utilizados no mercado financeiro como um todo, pessoas que têm dívidas podem vê-las crescer exponencialmente e demorar anos, ou quem sabe décadas, para saldá-las. Ainda mais porque as taxas aplicadas ao crédito podem ser bem elevadas. Se um banco oferece uma linha de crédito com custo de 5% ao mês e um indivíduo toma R$ 10 mil emprestados, o efeito dos juros compostos pode levar a dívida de R$ 10 mil a R$ 57.918 em apenas 36 meses, ou seja, mais do que quintuplicá-la. E, quanto mais alta a taxa e quanto maior o tempo, maior a aceleração desse crescimento.

E é por isso que as dívidas crescem em bola de neve. Uma bola de neve começa pequena durante uma avalanche numa montanha. Porém, na medida em que ela vai crescendo, mais neve vai se acumulando e ela se torna cada vez maior e mais pesada e adquirindo um potencial destruidor ainda maior. Por isso os juros compostos são, de fato, um inimigo feroz, destruidor de vidas financeiras inteiras!

Por outro lado, se o mercado financeiro trabalha com os juros compostos, então as aplicações financeiras também rendem da mesma maneira. Isso significa que o poupador que faz aplicações também se beneficia do efeito de crescimento acelerado. O que significa que os juros compostos podem se tornar um amigo inseparável de sua vida financeira se você for um poupador. Os juros compostos são tão importantes quando falamos de investimento que a autora Alice Schroeder escreveu um livro sobre Warren Buffett, o maior investidor do planeta, cujo título é justamente *A bola de neve*. Ou seja: o próprio Buffett se utilizou desse processo para se tornar multibilionário!

Então os juros são amigos ou inimigos? Eles não são amigos nem inimigos: são tão somente os juros compostos. Depende unicamente da maneira como você escolhe se relacionar com ele. Se for como investidor, mesmo que seja começando com uma quantia baixa, será um amigo inseparável. Se for como devedor, será um inimigo feroz. Amizade e inimizade vão depender apenas de cada um de nós!

Resumo do capítulo:

- ► É importante entender que o valor do dinheiro muda no tempo.
- ► É importante entender que a liquidez tem valor.
- ► Os juros são a expressão matemática do valor do dinheiro no tempo e de sua liquidez.
- ► Os juros compostos têm um forte poder acelerador das dívidas ou dos investimentos.

> Os juros compostos não são nem bons nem ruins. Eles são apenas os juros compostos. Eles serão bons ou ruins de acordo com a maneira como você escolhe se relacionar com eles.

Capítulo 10

CRÉDITO: COMO UTILIZAR COM INTELIGÊNCIA

Existe uma revolta natural das pessoas quanto ao custo do crédito no Brasil. A percepção geral é de que os juros cobrados aqui são muito elevados em comparação a outros lugares, prejudicando pequenas empresas e pessoas que querem realizar determinados objetivos antes de juntar o dinheiro para tal. Uma das causas apresentadas pelas instituições financeiras está relacionada à inadimplência, mas outra possível é a baixa concorrência, uma vez que a atividade bancária possui alta concentração, com poucos bancos respondendo por quase a totalidade das operações.

Seja como for, a sua atitude deve ser a de compreender como as coisas funcionam e tentar lidar com aquilo que é possível controlar, pois é aí que você pode mudar o jogo, pelo menos no que se refere à sua própria vida. Quem aprende a lidar com aquilo que pode controlar, independentemente das circunstâncias (juros altos ou baixos), sabe tomar boas decisões.

Para compreender o crédito, é preciso se colocar no lugar de um banqueiro. Vamos imaginar que você e eu abrimos um banco em sociedade e as pessoas estão chegando em nossa agência bancária – ou simplesmente visitando nosso app, o que é mais provável – e querendo obter linhas de crédito para diversas finalidades.

Como banqueiros, precisamos avaliar se podemos emprestar dinheiro para todas as pessoas que pedirem ou se precisaremos analisar um pouco mais as condições de cada uma delas, em busca de sinais que nos permitam entender se cada cliente tem condições de pagar de volta, no futuro, o valor que emprestamos — pois, caso não tenha, nosso negócio poderá falir.

Sabemos que existem diversas linhas de crédito no mercado, ofertadas por diversas instituições financeiras, e precisaremos tomar algumas decisões sobre que taxas nosso banco fictício praticará. Para isso, tomaremos por base a clássica relação de risco e retorno.

Vamos dizer que podemos emprestar a uma pessoa R$ 30 mil a uma taxa de 2% ao mês, com 100% de certeza de que receberemos o pagamento de volta rigorosamente em dia. Há também outra pessoa nos pedindo o mesmo valor emprestado, porém sabemos que existe o risco de esse segundo cliente não nos pagar corretamente, gerando um risco para o nosso capital. Nesse caso, deveríamos emprestar o valor a esse segundo cliente nas mesmas condições do primeiro? Pouco provável. Mas talvez, se pudéssemos emprestar a ele numa taxa mais elevada, como 5% ao mês, talvez o risco compensasse.

Você observou que, quanto menor o risco que tivermos ao emprestar o dinheiro, menor a taxa que podemos cobrar? Ao passo que, quanto maior o risco, maior a necessidade de elevar a taxa! É exatamente com essa cabeça que você vai entender as diferenças entre as linhas de crédito comumente disponíveis no mercado financeiro. Elas podem ser mais caras ou mais baratas de acordo com o nível de segurança que proporcionem a quem vai emprestá-las, ou seja, ao banqueiro.

Cartão de crédito

Quando um banco fornece um cartão de crédito para determinado cliente, ele estabelece um limite, com base nas informações sobre a renda da pessoa, e faz pesquisas sobre anotações nos órgãos de proteção ao crédito. Se for um cliente antigo, o banco também vai considerar esse relacionamento para verificar se o cliente possui um bom histórico interno.

O cartão de crédito funciona assim: o banco permite que o cliente faça compras para pagar numa data futura previamente estabelecida, digamos, dia 20 de cada mês. Assim o cliente pode comprar no comércio até o limite estabelecido pelo banco. No dia 10 de cada mês, o banco fecha a fatura e calcula tudo o que foi gasto e envia a cobrança. No dia 20, o cliente paga a fatura e segue assim sucessivamente todos os meses.

Enquanto o usuário do cartão de crédito efetuar o pagamento de suas faturas na data correta, ele jamais terá a cobrança de qualquer taxa de juros. E como a administradora se remunera? A cada transação feita no comércio, a administradora do cartão de crédito cobra uma taxa do comerciante. Alguns bancos também cobram uma taxa de anuidade pela emissão do cartão. E o usuário se beneficia das conveniências de:

- ▶ Concentrar o pagamento das despesas feitas num único dia de cada mês;
- ▶ Não precisar ter sempre um talão de cheques ou dinheiro em espécie para realizar suas despesas;
- ▶ Realizar operações financeiras seguras.

Porém, se num dado mês o usuário não paga a fatura na data combinada, o banco cobrará multa e juros pelo atraso — taxas pesadíssimas, as mais altas de todo o mercado financeiro. É a isso que se chama "rotativo do cartão de crédito". Mas por quê?

Pense como um banqueiro: ali estão as informações sobre emprego e renda e sobre o relacionamento desse cliente com o banco. Porém alguma coisa aconteceu! Será que esse indivíduo ficou desempregado e não tem mais condições de pagar suas despesas em dia? Será que ele se descontrolou, gastou compulsivamente e ficou sem dinheiro para pagar o compromisso da fatura? O que será que aconteceu? O que pode ter ocorrido com um cliente que fez algumas despesas no dia 8, mas que já no dia 20 não tem como pagar? Será que teve alguma emergência que o levou a usar todo o dinheiro, que tinha? Será que ele fez essa despesa já ciente de que não teria como pagar?

Essa falta de pagamento pode gerar incerteza, e incerteza é o que mais apavora o banqueiro, pois ele já não sabe se conseguirá receber o que emprestou de volta. A falta do pagamento do cartão de crédito pode representar um problema iminente financeiro do usuário, e, com tanta incerteza, é natural que o banco cobre a maior de todas as taxas entre as linhas de crédito. A ideia é tentar se resguardar de qualquer risco, mesmo se seja um simples atraso de fatura.

Pode ser que o cliente tenha apenas esquecido de pagar a fatura e no dia seguinte vá resolver isso, mas não há como saber, e, assim, a multa e os juros elevados, mesmo que apenas de um dia, servirão para que ele tenha atenção redobrada e não volte a fazer isso.

Quem paga sempre em dia nunca terá nenhum custo de juros ou multa e poderá usufruir da conveniência do cartão de crédito por toda a vida, inclusive se beneficiando de bonificações que podem ser trocadas por passagens aéreas e outros produtos.

CHEQUE ESPECIAL

Essa linha de crédito fica disponível na conta corrente dos clientes bancários e pode ser utilizada a qualquer momento, sem que seja necessário fazer uma transação específica. Basta apenas usar o dinheiro, seja para pagar contas ou gastar em compras.

O banco, para concedê-la, também se baseia no histórico do cliente junto ao comércio e ao sistema financeiro e na sua relação pessoal com a própria instituição. Além disso, o banco dispõe também dos cadastros do cliente com informações de endereço, emprego, renda e contatos. E essas são as garantias que ele tem em mãos para disponibilizar (ou não) determinada linha de crédito.

Ocorre que o cheque especial não determina uma data de devolução do dinheiro que foi emprestado. Se um cliente bancário tem um cheque especial de, digamos, R$ 5 mil e quiser pegar todo esse valor para usar como quiser, seja para uma emergência ou mesmo para compras por impulso, basta gastar, pois o valor estará disponível. O banco determinará uma data mensal de cobrança apenas dos juros referentes ao valor que o cliente usar do cheque especial no período de um mês. Ou seja: é uma linha de crédito para uso a qualquer tempo, sem nenhuma combinação de quando esse dinheiro deve ser devolvido ao banco. A pessoa pode ficar anos e anos sem nunca devolver o valor, pagando apenas os juros mensais por isso.

Como essa linha de crédito não estabelece um prazo para a devolução do valor que foi tomado pelo cliente, ela também é vista pelo banqueiro como uma linha de alto risco e, por isso, ele estabelece um custo de juros bastante elevado, próximo ao custo dos juros do cartão de crédito. A intenção é fazer com que o cliente a utilize apenas em situações de emergência e restitua o valor o mais rápido possível, já que o uso prolongado dessa linha pode representar um risco de inadimplência mais à frente, caso a pessoa tenha alguma emergência financeira grave ou até mesmo perca o emprego (ou alguma fonte de renda).

CRÉDITO DIRETO AO CONSUMIDOR (CDC)

Esse tipo de linha de crédito é aquele em que um empréstimo é creditado na conta corrente do cliente, que tem a liberdade de utilizá-lo da forma que quiser, com a condição de pagamento em parcelas ao longo de um período determinado.

Para concedê-la, o banco também faz avaliação dos clientes baseada em emprego, renda e histórico na praça. Porém, nesse caso, diferentemente do cheque especial, repare que existe um cronograma de pagamento das parcelas, o que traz previsibilidade para o banqueiro. E, a cada parcela paga, o tomador do crédito está devolvendo parte do valor emprestado, reduzindo gradativamente o risco da operação.

A simples condição de estabelecer um cronograma de devolução já cria para o banco uma condição mais favorável de emprestar os recursos. E permite também ao cliente bancário ajustar melhor essas parcelas no próprio orçamento e em sua capacidade de pagamento. Assim, as linhas de crédito direto ao consumidor ou empréstimo pessoal oferecem juros menores que os praticados no rotativo do cartão de crédito e no cheque especial.

Se você precisar de dinheiro emprestado, portanto, é mais coerente avaliar sua capacidade de pagamento e fazer um planejamento para encaixar as parcelas no orçamento do que recorrer a linhas de crédito de altíssimo custo, tais como cheque especial ou rotativo do cartão de crédito.

FINANCIAMENTOS

Os financiamentos funcionam de modo bem similar aos empréstimos CDC, com algumas condições adicionais. Além de o banco fazer toda a análise de crédito de todas as demais linhas para sua concessão, os financiamentos são concedidos para propósitos específicos, sendo os mais utilizados pelos tomadores de crédito as compras de veículo e de imóvel.

Portanto, não se trata de uma linha de crédito creditada na conta do cliente bancário para uso livre. Além disso, o bem a ser adquirido passa a ser uma garantia adicional da operação, além da análise de crédito convencional. Dessa forma, caso você adquira um veículo de R$ 80 mil dando R$ 50 mil de entrada e financiando R$ 30 mil no banco, o próprio veículo servirá como garantia caso você deixe de efetuar o pagamento.

É importante reparar que o valor do bem é normalmente superior ao valor do próprio empréstimo, e é normal que o banco faça isso justamente para ter a garantia de que, caso precise apreender o veículo por falta de pagamento, possa vendê-lo a um preço que cubra o valor da sua dívida. Em alguns momentos do mercado financeiro, e dependendo das políticas de cada banco, o valor financiado pode ser num percentual maior ou menor com relação ao bem adquirido. No nosso exemplo, o carro fica alienado — ou seja, entra em garantia utilizando o instrumento da alienação fiduciária, e você apenas terá o documento do carro em seu nome e ficará desimpedido para vendê-lo para terceiros após a quitação do financiamento.

Algumas pessoas têm uma ideia errônea de que o banco deveria emprestar para todo mundo quando tem essa garantia do bem, pois está garantido, mas a verdade é que o banco não é uma revenda de veículos (ou de imóveis). Pegar o carro de volta causa um transtorno para o banco, pois gera custos e atividades que não são naturais da sua atividade principal. O que o banco quer mesmo é que o tomador pague as prestações até o fim, conforme combinado. Apesar disso, de fato o carro é uma garantia adicional, e isso permite ao banco que reduza um pouco o custo da linha de crédito, sendo menor do que a do empréstimo pessoal.

Se você planeja realizar a compra de algum bem que possa ser financiado, lembre que essa linha será mais em conta do que o cheque especial, o rotativo do cartão de crédito e o empréstimo pessoal, porque, além de todas as avaliações que todas essas linhas também possuem, adiciona a garantia do próprio bem financiado.

Crédito consignado

Essa é a linha mais segura para o banco, pois permite o desconto em folha de pagamento. Não são todas as pessoas que têm acesso a esse tipo de linha de crédito. Servidores públicos e aposentados pelo INSS, sim, assim como funcionários de empresas que firmam convênio para essa finalidade com instituições financeiras. Nesse caso, a garantia fornecida é muito forte, porque, mesmo que uma pessoa tenha dificuldades financeiras, a parcela será retirada direto da fonte de pagamento do salário, automaticamente.

O crédito consignado é concedido da mesma maneira que o empréstimo pessoal, sendo o valor emprestado creditado na conta do tomador do crédito para uso livre. Porém, por possuir a mais forte de todas as garantias, é a que apresenta o menor custo dentre todas as linhas comumente disponíveis. Muitas vezes essa linha pode ter um custo parecido com o de financiamento, ora um pouco acima, ora um pouco abaixo. Inclusive algumas instituições financeiras concedem essa linha até mesmo para pessoas que têm nome negativado nos órgãos de proteção ao crédito – desde que se enquadrem em alguns critérios, tais como aposentados com renda do INSS, devido à grande força de sua garantia.

Uso inteligente das linhas de crédito

De acordo com o que estudamos sobre as linhas de crédito, você pode estabelecer um esboço das modalidades em função das suas características e das garantias oferecidas ao banqueiro.

Linha	Pagamento	Garantias adicionais	Custo
Cartão de crédito (pagando em atraso)	Mensalmente	Nenhuma	Muito alto
Cheque especial	Não há data para pagamento do principal. Juros cobrados mensalmente	Nenhuma	Alto
Empréstimo pessoal	Parcelas mensais por prazo predeterminado	Nenhuma	Médio
Financiamento	Parcelas mensais por prazo predeterminado	Bem financiado	Baixo
Crédito consignado	Parcelas mensais por prazo predeterminado	Desconto em folha	Muito baixo
Cartão de crédito (pagando em dia)	Mensalmente	Nenhuma	Nenhum

Observações:

► A análise de crédito (considerando renda mensal, histórico na praça e relacionamento com a própria instituição bancária) existirá em qualquer linha, para que se verifique a capacidade de pagamento.

► O custo pode sofrer alterações em função de situações de mercado ou das políticas de cada instituição financeira, mas o quadro serve como um mapa de orientação básica caso você necessite de crédito.

Uma vez que se conheçam as linhas de crédito, é possível avaliar a situação particular para recorrer àquelas de menor custo possível. Se você tiver dívidas acumuladas no rotativo do cartão de crédito e no cheque especial e não consegue quitá-las, é inteligente avaliar a contratação de uma linha de crédito consignado para quitar as 2 anteriores, que possuem maior custo, e planejar a parcela do novo crédito contratado no orçamento.

Em alguns casos é possível também recorrer às linhas de financiamento para obter juros menores mesmo que você não queira adquirir um novo carro ou um novo imóvel. Para isso, a possibilidade é fazer um empréstimo incluindo um carro ou mesmo um imóvel (quitados) como garantia e obter, assim, um custo bem menor do que as linhas mais caras do cartão de crédito ou cheque especial.

Sempre que puder, portanto, consolide linhas de crédito de alto custo e as quite trocando-as por dívidas mais baratas, do tipo que forneça mais garantias ao banco, proporcionando a você menos custo com juros e permitindo, assim, seu melhor planejamento financeiro. Um cuidado que se deve ter aqui é o seguinte: não adianta consolidar as dívidas, quitá-las contraindo uma dívida mais barata e depois voltar a dever novamente nas linhas mais caras. Então, se essa opção fizer sentido, é imprescindível que você faça as contas daquilo que realmente tem condições de pagar para que, com o passar do tempo, a dívida seja eliminada de uma vez por todas.

Resumo do capítulo:

- ► Existem linhas de crédito com juros mais altos do que outras.
- ► É possível diminuir o custo dos juros utilizando as linhas de crédito adequadas para cada finalidade.
- ► Se as dívidas de altos juros se estenderem por mais tempo do que deveriam, convém avaliar a pertinência de consolidá-las e trocá-las por dívidas mais baratas.
- ► Ao trocar dívidas, deve-se considerar o orçamento para que o problema não se torne ainda pior.

Pensando com a cabeça do banqueiro, é possível compreender o que é necessário para ter juros mais baixos nas linhas de crédito.

Capítulo 11

O SONHO DA CASA PRÓPRIA

Um dos principais sonhos dos brasileiros é o de ter a casa própria, e esse pode ser inclusive um dos seus. No entanto, existem muitas ideias divergentes sobre esse assunto, e você já pode ter se deparado com pessoas que defendem que viver de aluguel é financeiramente melhor, e com outras que apresentam os benefícios de ter a própria moradia baseando-se na segurança que isso pode proporcionar. Algumas defendem ainda o financiamento imobiliário como a melhor alternativa para essa realização, uma vez que os imóveis "sempre" valorizam ao longo do tempo, enquanto outras defendem que a compra seja feita à vista ou com o maior valor de entrada possível, minimizando assim os custos com juros.

Trazer este tema à parte aqui neste livro pode auxiliá-lo a lidar melhor com essa questão. Ainda assim, é importante que você tenha em mente que não há uma maneira única e melhor de tomar essa decisão, simplesmente pelo fato de que as pessoas são diferentes, valorizam coisas diferentes, têm sonhos e anseios diferentes, e não é nosso papel dizer como você deve tocar a sua vida. Se você tem o sonho da casa própria, então o nosso propósito aqui é trazer ideias que devem ser consideradas por você antes dessa importante decisão, que aliás muito provavelmente pode ser a maior decisão financeira de toda a sua vida.

De posse dessas reflexões, você poderá ponderar diversos fatores e escolher o caminho que deseja trilhar com consciência e planejamento. Resumindo: seja qual for a sua decisão, esperamos gerar ideias para que o seu sonho se realize da melhor maneira possível.

Mas de antemão já deixamos um alerta: será preciso que você caminhe conosco no raciocínio que vamos lhe mostrar, porque decisões racionais exigem muitas vezes que você rompa com ideias preconcebidas como "quem casa quer casa", "o sonho da casa própria", "aluguel é jogar dinheiro fora" e outras similares. É preciso que você tenha em mente que grande parte dessas ideias são fomentadas como marketing pelas próprias instituições financeiras, pois, para elas, conceder crédito é o seu meio de obter lucros. Então, ao observar uma imagem com uma família feliz entrando num imóvel que acabou de adquirir – pensando ter adquirido a casa própria –, tenha a clareza de compreender que aquilo é, provavelmente, a propaganda de um banco querendo lhe vender um produto, no caso um financiamento imobiliário. E como o apelo emocional do imóvel próprio é realmente elevado, você deve ter alguma blindagem intelectual para não agir confiando cegamente nessa ideia. É preciso refletir e escolher o melhor para si, tentando ao máximo neutralizar aquilo que é o interesse do banco e não necessariamente o seu.

Vamos então aos pontos que entendemos que você deva considerar nessa tomada de decisão.

Solução de longo prazo para problema de curto prazo

Como eu disse antes e você provavelmente concorda comigo, a decisão de compra de um imóvel é a principal decisão financeira a ser tomada na vida. Isso significa que uma compra dessa magnitude jamais deve ser feita por impulso, sem muitos meses ou até mesmo anos de reflexão. Jamais assine um contrato de compra sob o impacto emocional de visitar um apartamento decorado ou sob o risco marqueteiro de "perder um grande negócio". Antes de tudo, a decisão deve estar totalmente amadurecida; o planejamento, preparado e, só então, deve-se partir efetivamente para a conclusão de um negócio dessa importância.

Você não será capaz de não sofrer influências das estratégias de venda do corretor, da propaganda do banco e, talvez, até mesmo do incentivo de amigos e familiares. Mas você precisa ter clareza de que nenhuma dessas pessoas será responsável por pagar o financiamento do imóvel, então a decisão deve ser unicamente sua. Essa é uma decisão da vida adulta. E na vida adulta só existe uma pessoa que responderá por tudo – tanto o que for positivo quanto o que for negativo –, e essa pessoa é você. Não vai adiantar depois tentar culpar o Governo, o banco, os amigos, o corretor e a construtora. Junto com a autonomia financeira vem a responsabilidade. E não encare isso como um peso, porque é justamente a responsabilidade pelas suas decisões que fará você assumir as rédeas da sua vida financeira.

Lembre, portanto, que a decisão de comprar um imóvel – à vista ou financiado – é provavelmente a maior decisão financeira da sua vida e trará repercussões de longuíssimo prazo. Um financiamento imobiliário de 30 anos, por exemplo, pode durar metade de sua vida adulta. Ninguém compra um imóvel para moradia com a intenção de se desfazer dele em 6 meses, ou mesmo alguns poucos anos depois. Isso pode até ocorrer, mas essa não é a expectativa inicial. Mesmo uma aquisição à vista trará impactos na sua rotina, que poderá congelar seus recursos por décadas, e nós falaremos sobre isso nos próximos tópicos.

Se a compra do imóvel é uma decisão de longo prazo e relevante, jamais deve ser tomada para solução de problemas de curto prazo. Veja alguns problemas de curto prazo que jamais deveriam ser solucionados com uma compra de imóvel.

Júlia deseja ser independente e sair da casa dos pais

Esse é um problema de curto prazo. E o problema não é *ter* um imóvel, mas sim ter uma *moradia*. E a moradia não precisa ser resolvida com uma decisão quase irreversível de aquisição à vista ou financiamento. Aliás, é muito pouco provável que um jovem querendo ter seu próprio lar disponha de recursos para uma compra à vista e, assim, o financiamento seria – na maioria dos casos – a única possibilidade. Um jovem buscando sua independência está se estabilizando na vida, há diversos aspectos incertos quanto a trabalho, estilo de vida, a própria adaptação de cuidar de si mesmo integralmente, e uma dívida elevada num momento desse não é uma boa ideia. Que localização vai atender Júlia: perto da família, dos amigos ou do trabalho? Que tamanho de imóvel vai atender? Será que ela pretende se casar e ter filhos? Será que com um financiamento no orçamento ela continuará tendo capacidade de investir em si mesma, pagando cursos de qualificação almejando crescimento pessoal e inclusive de remuneração? O que aconteceria se ela perdesse o emprego? São muitas variáveis – algumas incontroláveis, inclusive – que requerem maior reflexão. Sem contar aquilo que já tratamos em capítulos anteriores: assumir um financiamento nessas condições é perder poder de escolha, pois esse valor será automaticamente retirado do orçamento via despesa, aumentando a dependência do emprego atual.

Mauro brigou com os familiares

Muitas vezes, num relacionamento familiar, há desentendimentos. E, dependendo de quão extremo for esse desentendimento, também poderá levar um jovem a querer sair da casa dos pais, talvez prematuramente. Tudo o que foi mencionado no caso de Júlia se aplica aqui também. É natural também que, na medida em que vamos avançando na idade, as diferenças se tornem incompatíveis, vários adultos com suas convicções particulares vivendo sob um mesmo teto pode gerar desentendimentos, e não há nada de errado nisso. O que não deveria ser normal é, diante de uma situação dessas, o jovem enfurecido se deslocar até um estande de vendas de uma corretora imobiliária e contratar um financiamento de 30 anos. Não me parece um caminho sensato.

Ângela precisa mudar de cidade

Ângela morava com o marido, Nilton, e os filhos, Rodolfo e Marcela, em Petrópolis, cidade da região serrana do Rio de Janeiro, quando recebeu uma excelente oferta de emprego em Belo Horizonte. Nilton trabalha home office e não teria dificuldades. Marcela está em idade escolar, Rodolfo ainda não. O primeiro pensamento de Ângela é: "Vamos vender a casa de Petrópolis para comprar nosso apartamento em Belo Horizonte". Algumas perguntas, porém, precisam ser feitas: Será que Ângela gostará do novo trabalho? Será que o novo trabalho gostará de Ângela? Será que a família gostará de morar em Belo Horizonte? Será que essa mudança poderá gerar algum efeito em Marcela? E em Rodolfo? Será que a família se adaptará bem vivendo distante dos parentes? Será que a família conseguirá conservar os hábitos saudáveis que tanto valorizam na nova cidade? De novo, o problema é de moradia, não de propriedade de um imóvel. Eles podem muito bem colocar a casa atual para locação, alugar uma residência em Belo Horizonte e verificar, com o tempo, como a vida segue. E, caso tudo flua bem, podém planejar com paciência a venda do imóvel atual e a posterior aquisição de um imóvel na nova cidade, caso assim desejem. Mas não precisam, de imediato, correr para um financiamento com pouquíssimas respostas a todas essas mudanças prováveis da vida deles.

Alexandre e Yuri se divorciaram

Alexandre e Yuri eram casados. Porém, por circunstâncias que não nos interessam aqui, decidiram se separar. O imóvel onde moravam havia sido adquirido por ambos e já estava quitado, e eles decidiram em comum acordo que o colocariam à venda para dividir o valor. Yuri logo alugou um apartamento mais modesto e se mudou. Alexandre, por sua vez, queria ter o próprio imóvel, e foi instintivamente levado a fazer um financiamento imobiliário com a intenção de quitá-lo assim que o imóvel anterior fosse vendido. A questão aqui é a mesma: o problema de curto prazo é arrumar uma moradia para reorganizar a vida. Será que esse momento deve ser resolvido com uma decisão de longo prazo? Quanto tempo levarão para vender o imóvel? Enquanto o imóvel não é vendido, cada um deles terá que arcar com custos de IPTU e condomínio de 2 imóveis. No caso de Yuri, que optou por um aluguel mais modesto, a despesa será menor. No caso de Alexandre, que optou por um financiamento, a despesa será maior. Quando o imóvel do casal for vendido, Yuri poderá avaliar se gostou da nova moradia, se a localização o atendeu e, mesmo caso a experiência não seja boa, terá liberdade e flexibilidade para encerrar o contrato – talvez mediante uma multa – e experimentar outras possibilidades. Já Alexandre não terá essa flexibilidade e, caso sua nova experiência de moradia não tenha sido positiva, terá que percorrer o árduo caminho de uma nova venda de imóvel. Dependendo da urgência, possivelmente perderá algum dinheiro nessa transação. A reflexão é: será que a decisão de compra do imóvel via financiamento – ou mesmo à vista – não precisa ser mais bem planejada?

Patrícia e Eraldo precisam de flexibilidade de moradia

Durante o ciclo de vida existem fases. E, de acordo com essas fases, é importante conservar maior ou menor flexibilidade, e isso também envolve a moradia. Veja o caso de Patrícia: ela é solteira e está no início de sua trajetória profissional. Saiu recentemente da casa dos pais e escolheu morar em Niterói, no bairro de Icaraí, num imóvel alugado que é perto do seu trabalho e permite que ela vá e volte a pé e almoce todos os dias em casa – foi a solução que ela encontrou para economizar algum dinheiro com restaurantes e também escolher melhor a alimentação que prefere, segundo seu próprio cardápio. Como as coisas estavam caminhando bem e Patrícia gosta do estilo de vida que leva, ela resolveu então fazer um financiamento imobiliário para adquirir um imóvel próprio. Patrícia se dedicou a escolher um imóvel no mesmo edifício e teve muito pouco transtorno com a mudança. Investiu um bom dinheiro fazendo melhorias dentro de suas preferências, colocou móveis planejados na cozinha e nos quartos, fez um excelente banheiro e tudo ficou lindo.

Num sábado à tarde, uma amiga com quem caminhava pela orla contou que a empresa em que trabalha estava contratando na área de Patrícia, oferecendo salários bem elevados. Além disso, eles precisavam de pessoas para atuar num nível de supervisão. Patrícia se interessou pela oportunidade e perguntou para a amiga se, talvez, ela devesse se candidatar a uma vaga. A amiga respondeu que achava que ela tinha o perfil desejado pela empresa. Além disso, a empresa estava em franca expansão e as perspectivas de ascensão profissional eram muito boas.

Então Patrícia resolveu se inscrever no processo seletivo e na semana seguinte foi para a entrevista. Patrícia realmente atendia ao perfil desejado pela empresa e a oferta de trabalho era muito atrativa, tanto financeiramente quanto pelo tipo de trabalho que faria. Tudo levava Patrícia a optar pela mudança, exceto por um pequeno detalhe: a sede da empresa ficava na Avenida das Américas, na Barra da Tijuca, e seria lá o local de trabalho.

Caso você não conheça muito bem o Rio de Janeiro, convém esclarecer que Icaraí, em Niterói (município vizinho ao Rio de Janeiro), fica a aproximadamente 45 quilômetros da sede da empresa. Num fim de semana, o trajeto pode ser percorrido em algo entre 45 minutos e 1 hora passando pela ponte Rio-Niterói e pela Linha Amarela. Porém, em dias de semana, o trajeto pode ultrapassar 2 horas.

Isso significa que Patrícia poderia levar até 4 horas no trânsito diariamente apenas para fazer o caminho casa-trabalho-casa. Além disso, não teria mais a possibilidade de almoçar em casa, e sua rotina seria drasticamente alterada. Sem contar o inconveniente de se expor ao trânsito todos os dias, o que tira qualquer um do sério. Ainda assim, a diferença salarial mais do que compensaria: Patrícia, que recebia R$ 5 mil de salário, veria sua renda dobrar.

O ponto a ser observado aqui é: qual o impacto que o financiamento do imóvel e o custo com obras de melhorias terá nessa nova realidade? Será que Patrícia, em início de carreira, deveria ter tão pouca flexibilidade para tomar essa decisão? Deveria Patrícia vender seu imóvel recém-adquirido e reformado – talvez às pressas, reduzindo o valor para vender mais rápido e assim ocasionar perdas financeiras – e financiar outro na Barra da Tijuca? Ou deveria alugar um novo imóvel na Barra da Tijuca e procurar uma imobiliária para cuidar do aluguel de seu próprio apartamento? Como você pode perceber, uma decisão com impactos de longo prazo pode retirar a flexibilidade necessária para que você se desenvolva e tenha mobilidade para crescer profissionalmente, aproveitando oportunidades que surgirem. Sem contar a energia que Patrícia terá que despender nas questões burocráticas relativas à mudança.

A reflexão que fica aqui é: será que para você, no seu momento profissional, seria conveniente definir uma moradia fixa de longo prazo em detrimento de oportunidades profissionais que possam surgir e que você queira aproveitar? E se, no caso de Patrícia, ela posteriormente fosse convidada para atuar na sede nacional da empresa, em São Paulo, num cargo ainda mais elevado? Ou mesmo, como Patrícia é fluente em inglês, para atuar na matriz da empresa, que fica na Gold Coast, em Queensland, na Austrália?

Então é preciso refletir se o seu momento de vida é condizente com o financiamento não apenas em aspectos financeiros, mas também em aspectos práticos e que levem em consideração questões relacionadas ao seu trabalho e à sua rotina. Quão importante é para você ter flexibilidade para ir e vir com facilidade, velocidade e "fluidez"?

É claro que você pode pensar também: "Ok, entendi. No entanto, minha realidade atual é outra. Hoje muitas empresas aceitam home office e essa é a nova realidade". E você tem razão. Por isso lembrei também o caso de Eraldo.

Eraldo sempre sonhou em morar no litoral norte do Estado de São Paulo, em São Sebastião ou talvez Ubatuba. Porém, as oportunidades na sua cidade natal, São Paulo (capital), sempre foram melhores do que nesses locais. Martelando esse dilema durante muito tempo, Eraldo enfim decidiu abrir mão de seu sonho e financiou um apartamento na capital. A família estava bem acomodada e feliz até que aconteceu a pandemia da Covid-19. Eraldo passou a trabalhar de casa e assim ficou por mais de um ano. No início, foi difícil conciliar o trabalho com o andamento da casa, a presença constante dos filhos interrompendo (afinal, queriam sua atenção) e a adaptação necessária. Foi então que Eraldo soube que alguns amigos, diante da nova realidade, haviam voltado para suas cidades natais no interior de SP e outros ido até mesmo para outros estados no Brasil. Eraldo refletiu sobre isso e viu que agora, sim, poderia colocar de novo seu sonho na mesa e planejar viver no litoral. Só que tinha um porém: com o financiamento em andamento, a mobilidade não seria tão rápida.

Ou seja, a flexibilidade de moradia pode ser necessária não apenas no que se refere ao que está ao seu alcance planejar. Ela pode ser necessária por acontecimentos que jamais poderíamos antever. E, tanto no caso de Patrícia como no de Eraldo, ter flexibilidade no momento certo lhes permitiria ir mais rápido, e com menos obstáculos, ao encontro de seus sonhos.

Pagar aluguel é jogar dinheiro fora

Muitas vezes você já se deparou com essa frase, dita por amigos, pelo gerente do banco, por familiares ou você mesmo a disse. "No aluguel, você paga a vida toda algo que nunca é seu" também é outra frase muito popular. Aqui, porém, estamos destruindo alguns mitos e trazendo racionalidade para as decisões. Quando uma frase é muito popular, não significa que ela traga consigo sabedoria. Ela é apenas... popular. Muitas ideias populares não são – nem de longe – as melhores. Por isso, vamos discutir com mais maturidade essa questão, afinal você não deve se enfiar num financiamento de 30 anos por conta de algumas frases de efeito, concorda?

Primeiramente, vamos entender o que é aluguel de maneira simples:

Aluguel é pagar pelo uso de algo que pertence a outra pessoa. Então, quando você paga aluguel você não está adquirindo nada, está pagando apenas para usar e, quando não quiser mais, para de pagar e devolve o bem ou imóvel.

No caso do financiamento imobiliário, a principal frase de efeito é: "Pelo menos estou pagando algo que é meu". Vamos discutir 4 pontos importantes:

1. Não, num financiamento você não está pagando algo que é seu, porque dentro do financiamento existem juros. Logo, parte do que você está pagando é seu, parte são juros.

2. Não é seu. Está alienado ao banco e, se você parar de pagar, o banco vai tomar seu imóvel e levar a leilão. Se o valor da venda no leilão for maior que sua dívida, ela será quitada e a diferença será entregue a você; porém, se o valor do arremate for inferior ao valor da dívida, você terá perdido tudo que pagou e ainda continuará devendo. Ou seja: considere que o imóvel só será realmente seu quando você quitá-lo.

3. Se você deixar de pagar impostos do imóvel, também poderá perdê-lo. Isso é importante observar porque, se pensar profundamente, algo que é seu não deveria gerar nenhum tipo de custo adicional, mas no caso dos imóveis isso acontece. Enxergue, portanto, que o "seu imóvel" gera custos de impostos que, se não

forem pagos, podem fazer com que o Estado resolva tomá-lo de você. Mesmo que o financiamento imobiliário esteja quitado.

4. Dívidas condominiais também podem, no limite, levar a situações similares.

Então a ideia de que "é seu" pode ser relativizada contra você, dependendo das circunstâncias. Mas vamos desconsiderar os pontos 3 e 4 acima e vamos nos concentrar nos pontos 1 e 2. Se parte do que você paga num financiamento é de juros, então compreenda uma coisa: juros é aluguel de dinheiro! Lembra a história de que "aluguel é jogar dinheiro fora"? Então por que alugar imóvel é jogar dinheiro fora e alugar dinheiro não é jogar dinheiro fora?

Então, pensando mais racionalmente, você deve fazer uma avaliação de que talvez a melhor decisão financeira seja optar pelo aluguel mais barato, considerando o custo do aluguel do dinheiro e o custo do aluguel do imóvel. Fazendo uma simulação num site de um banco e comparando 2 situações para imóvel de mesmo valor, temos o seguinte:

Valor do imóvel	R$ 450.000
Valor da taxa de juros do financiamento	8,64% (CET)
Valor do aluguel do imóvel	R$ 1.500
Valor anual do gasto com aluguel	R$ 18.000

Você já tem no quadro o valor do custo efetivo da transação de financiamento, que é de 8,64% ao ano. E você já sabe que, se optasse por alugar em vez de comprar, esse mesmo imóvel custaria R$ 18 mil ao ano. Os 18 mil representam 4% do valor do imóvel. Repare, portanto, que o custo de alugar esse imóvel é mais baixo que o custo de alugar dinheiro para comprá-lo. Assim, é verdadeiro afirmar que alugar é jogar dinheiro fora. Nesse caso, alugar dinheiro (financiar) representa jogar ainda mais dinheiro fora.[1]

A lição é: alugar é sempre "jogar dinheiro fora". Portanto, compare o que é mais barato: alugar dinheiro ou alugar imóvel.

COMPARAR IMÓVEIS SIMILARES

Seguindo ainda na trilha de "alugar é jogar dinheiro fora", precisamos tratar de outro assunto. Normalmente as pessoas dizem o seguinte: "Entre pagar R$ 3 mil de aluguel ou R$ 3 mil num financiamento, é muito melhor pagar o financiamento". Mas não é bem assim. Um imóvel que pode ser pago com R$ 3 mil de financiamento tem um valor venal (de compra e venda) bem inferior ao do imóvel cujo aluguel custa R$ 3 mil. Assim, o senso comum é flagrantemente errado. A conta correta é pegar o valor de um mesmo imóvel (ou de imóveis similares com valor aproximado) e fazer essa comparação.

O que as pessoas dizem mostra inclusive como elas lidam com suas finanças: elas se baseiam no que estão dispostas a gastar com moradia mensalmente – o tradicional "cabe no meu orçamento" –, não com o valor real das coisas. Se elas estão dispostas a gastar R$ 3 mil com moradia, seja pelo financiamento ou pelo aluguel, então isso transforma uma decisão racional numa decisão irracional com aparência de racional. O que interessa não é isso, mas sim a comparação num mesmo parâmetro. A conta que vai mostrar se uma coisa é

---

1 Esse exemplo é uma simulação obtida através de um levantamento real que foi feito para auxiliar um familiar na tomada de decisão. Ele poderia optar por financiar um imóvel num determinado edifício na cidade de Vitória, no Espírito Santo, ou alugar um outro no andar imediatamente superior, com mesmo tamanho, mesma distribuição do espaço e mesma orientação solar.

melhor que outra não se faz colocando a situação particular como premissa, mas sim o valor do imóvel.

Seguindo o exemplo do item anterior, veja essa simulação em detalhes:

	Aluguel (em R$)	Financiamento (em R$)
Valor do imóvel	450.000	450.000
Valor da entrada	-	45.000 (a)
Valor financiado	-	405.000
Valor da primeira parcela	-	3.701,07
Valor da última parcela	-	1.156,62
Valor total das parcelas	-	947.701,20 (b)
Valor mensal do aluguel	1.500	-
Valor anual do aluguel	18.000	-
Total pago em aluguel 30 anos	540.000	
Total pago em juros 30 anos		542.701,20
Valor total pago	540.000	992.701,20 (a+b)

Observe nessa simulação real que o valor total de "dinheiro jogado fora via aluguel" foi R$ 540 mil em 30 anos. E que o "dinheiro jogado fora em juros" foi R$ 542.701,20. Nesse caso, optar pelo financiamento gerou mais dinheiro jogado fora do que o aluguel.

Há diversos pontos a considerar sobre essa simulação, e você já deve estar com alguns deles em mente. Vamos detalhar alguns:

► Note que o valor inicial do financiamento inclui desembolar R$ 45 mil e começar com parcelas mensais de R$ 3.701,20. Ou seja: para essa realidade é necessário, além de um desembolso inicial, uma capacidade de pagamento mensal.

▶ Note que no caso do aluguel não há nenhum tipo de desembolso inicial e o custo mensal inicial é de menos da metade da primeira parcela do financiamento.

▶ Os custos com o aluguel devem subir ao longo do tempo porque os contratos são indexados com algum indicador como IGPM ou IPCA, por exemplo. Porém, os contratos de financiamento também possuem cláusulas de reajuste (que também pode ser o IPCA ou alguma outra). Isso significa que as parcelas de financiamento provavelmente também vão subir, potencialmente em proporção similar. Por isso, esse exemplo está considerando valor presente, ou seja, em valor de dinheiro hoje. Assim, o efeito da inflação está neutralizado para os 2 casos.

▶ Na opção pelo financiamento, o imóvel, ao final, será próprio; e ao final do aluguel, o inquilino continuará sem imóvel. Sim, é verdade. Porém, observe que, se o inquilino fizer essa simulação de financiamento e tiver um plano de poupança colocando a diferença (= valor que pagaria na prestação – valor do aluguel) numa aplicação financeira, ele terá, em dinheiro, o equivalente ao valor de um imóvel ao final dos 30 anos. A diferença do valor total pago entre o financiamento e o aluguel foi de R$ 452.701,20. Isso significa que o valor presente na diferença foi exatamente o valor do imóvel. Nesse exemplo, as 2 opções se mostraram similares. Porém o inquilino jamais se endividou, conservou sua flexibilidade durante todo o prazo, conviveu com custos fixos menores e, em caso de imprevistos, teria a possibilidade de mudar facilmente para um imóvel menos dispendioso.

▶ O proprietário do imóvel pode encerrar o contrato com o inquilino, mas isso não muda a situação financeira do inquilino, que pode simplesmente mudar para outro imóvel similar a qualquer hora. Aliás, o próprio inquilino pode cancelar o contrato se encontrar algo que lhe interesse mais, dentro da mesma faixa de preços, se mudar de cidade, de estado ou de região.

- O financiamento forçou o comprador à disciplina de construir patrimônio. O inquilino, por sua vez, normalmente não tem a disciplina de guardar toda a diferença em aplicações financeiras – isso também é verdade. Mas essa é uma questão comportamental e não financeira. Podemos dizer que o comprador pagou R$ 992 mil para juntar R$ 450 mil. Pagou R$ 542 mil como custo por essa disciplina. Isso não parece muito? Por outro lado, ambos viveram com o mesmo padrão de vida – em termos de moradia – pelos mesmos 30 anos, sendo que o inquilino muito provavelmente tenha desfrutado de muito mais liberdade com seu orçamento por todo esse período e convivido com menos riscos.

- O risco assumido por ambos foi igual? Não parece. O inquilino pode mudar com baixos custos, ao passo que o comprador fatalmente poderia ter prejuízos se precisasse se desfazer do imóvel com urgência.

- O valor do imóvel ao final de 30 anos vai valer muito mais do que R$ 450 mil. Sim, é verdade. Isso, no entanto, é meio ilusório pelo seguinte motivo: em longo prazo, tirando alguns momentos de expansão e retração de crédito imobiliário, a valorização dos imóveis tende a caminhar próximo à inflação, às vezes um pouco acima, às vezes um pouco abaixo. Isso significa que essa valorização também recairá sobre o custo do financiamento de acordo com os índices de reajuste das parcelas do financiamento.

- Outra coisa que torna a valorização imobiliária ilusória é que todos os imóveis vizinhos também se valorizarão. Isso significa que, se hoje o imóvel em questão custa R$ 450 mil, então ele tem valor similar ao imóvel do vizinho, que também vale R$ 450 mil. Se um deles sobe para R$ 1,5 milhão ao longo de algum tempo, o outro também sobe, de maneira que essa suposta valorização não trará um ganho efetivo em maior capacidade de compra de imóveis. A única maneira dessa diferença de valorização ser percebida é se, no futuro, o comprador resolver vender para morar num imóvel inferior. Porém, a diferença entre o imóvel de referência e um imóvel inferior já existe agora. Não será a valorização ao longo do tempo que produzirá essa diferença.

▶ Vale uma observação aqui: não queremos dar a entender que investimentos imobiliários não valem a pena, é claro que valem. Só que nesse caso não estamos falando de investimento imobiliário. O imóvel em que residimos não é investimento, é moradia. Quando um investidor imobiliário faz investimentos, os imóveis negociados não têm o objetivo de moradia, e, portanto ele toma decisões um pouco mais racionais, muitas vezes se aproveitando de oportunidades de mercado, de pessoas que precisam vender com urgência, de leilões ou de alguma perspectiva incerta de valorização e crescimento de uma determinada região. Ou seja, um investidor imobiliário não toma decisões por impulso nem sem muita reflexão antes. Ele precisa conhecer profundamente o mercado imobiliário, pois aquele é o meio de vida dele. Ele não enxerga os quartos de um imóvel com seus filhos brincando. Ele enxerga oportunidades financeiras. O ponto de vista é outro.

▶ Aliás, caso o comprador do nosso exemplo se meta em apuros e precise se desafazer rápido do imóvel e do respectivo financiamento, pode ser que ele encontre justamente um investidor imobiliário paciente, à espera de situações como a dele, para extrair boa lucratividade, comprando abaixo do preço de mercado e podendo rentabilizar com aluguel ou venda futura. Qualquer risco que impacte o comprador preso a um financiamento pode gerar uma oportunidade para um grupo de pessoas atrás de oportunidades. Então é preciso que você defina em que posição quer estar.

VISÃO PATRIMONIAL

Quando uma pessoa diz que tem um imóvel, a princípio não sabemos se tem mesmo. O simples fato de dar uma entrada e assumir um financiamento é suficiente para que pessoas digam "o meu imóvel". Você, que ao ouvir isso, não sabe se o imóvel é quitado ou não, passa a enxergar tal atitude como natural e até mesmo começa a desejar ter também o seu imóvel. Se uma pessoa financia um carro lindo e um apartamento luxuoso, parece que ela tem essas coisas. E é isso que aparenta ser. Só que as suas decisões financeiras não devem se basear na vida alheia.

Quero chamar atenção aqui para o fato de que aquilo que importa na sua evolução patrimonial individual não é o que você diz que tem, mas aquilo que tem em patrimônio líquido. O patrimônio líquido é a diferença entre tudo que "tem" e tudo que "deve". Lembra?

- ▶ O que temos são nossos ativos;
- ▶ O que devemos são nossos passivos.

Assim, se você entrar num financiamento imobiliário como o caso acima, observe que você não agregou R$ 450 mil ao seu patrimônio líquido. Embora você tenha agregado R$ 450 mil na sua coluna de ativos, considere que agregou um valor ainda maior na coluna de passivos (R$ 992 mil, que é tudo que pagará pelo imóvel conforme especificado no contrato), que se refere à dívida que assumiu. Com isso, você vai empobrecer cerca de R$ 542 mil nesse processo.

O lançamento contábil de ativos e passivos não é exatamente assim, porque ao adicionar os R$ 450 mil nos ativos você deve lançar no passivo o valor da dívida a valor presente, ou seja, o saldo para quitação imediata. E ele vai mudando ao longo do tempo. E no início o custo dos juros farão com que o valor do passivo assumido seja maior que o do ativo incorporado. Embora você consiga enxergar claramente um imóvel que seu amigo acabou de comprar como a propriedade dele, isso não significa que a aquisição represente um acréscimo patrimonial.

Aliás, uma reflexão importante aqui é: você precisa de um imóvel para se sentir seguro? Ou você precisa ter um determinado patrimônio para se sentir seguro? Porque se a resposta for "determinado patrimônio" você tem outras alternativas. Vamos ilustrar: digamos que você se sinta seguro tendo um imóvel para moradia. E que esse imóvel que potencialmente lhe trará segurança valha R$ 450 mil. Você sentiria a mesma segurança tendo 450 mil na poupança? Talvez sim. Talvez não. Então, para muitas pessoas (e eu sou uma delas) ter o equivalente ao imóvel em aplicações financeiras é suficiente em termos de segurança. Basta que eu siga ali, aumentando meu patrimônio via aplicações financeiras, que sentirei o mesmo efeito de segurança. Com a vantagem de que o dinheiro está sempre disponível com relativa velocidade, enquanto que tendo esse mesmo patrimônio imobilizado poderia inclusive ter problemas financeiros. É importante observar que ter algum nível de liquidez (dinheiro disponível aplicado) é extremamente saudável para suas finanças. Essa é uma das maneiras de obter segurança financeira sem necessariamente se fixar num imóvel e sem pagar juros por isso. Na conta do patrimônio líquido, uma pessoa sem dívidas com R$ 500 mil de patrimônio líquido tendo 1 imóvel de R$ 450 mil e R$ 50 mil guardados numa aplicação tem o mesmo patrimônio líquido de outra com R$ 500 mil guardados numa aplicação financeira conservadora.

O sonho da casa própria 173

A segurança está, portanto, na evolução do patrimônio líquido, não no fato de ter ou não ter um imóvel.

ALAVANCAGEM FINANCEIRA E RISCO

Alavancagem financeira é quando alguém opera com mais dinheiro do que efetivamente tem. "Dar um passo maior do que a perna" se encaixa nesse conceito. Toda vez que você toma empréstimos e financiamentos está operando alavancado.

William tem um salário de R$ 3 mil e gastos de R$ 2 mil, então consegue juntar R$ 1 mil todo mês, sempre acumulando o que sobra. Fazendo assim ele já comprou um carro à vista e está juntando para comprar um apartamento em seguida. William já guardou R$ 40 mil e segue juntando mensalmente. Repare que William opera apenas com o que possui. Ele opera mensalmente com sua renda e suas despesas. Dirige um carro que pagou à vista e tem 40 mil aplicados. Sendo assim, William não está alavancado.

Ana Cláudia, por sua vez, ganha R$ 6 mil. Ela gasta tudo o que ganha, financiou um carro de R$ 80 mil e ainda deve R$ 60 mil. Do seu imóvel de R$ 450 mil, também financiado, deve 360 mil. Repare que Ana Cláudia opera muito além de suas posses. Ela está alavancada em R$ 420 mil, ou seja, vive e opera volumes financeiros *muito* além dos próprios ganhos.

O grande problema da alavancagem é o risco que isso pode trazer consigo. Se por acaso Ana Cláudia passar por uma urgência e tiver que vender o carro às pressas, ela poderá perder até 30% do valor do bem. Isso significa que ela perderá R$ 24 mil num carro de R$ 80 mil. Repare que o valor líquido que ela possui do carro é R$ 20 mil, que é R$ 80 mil (quanto o carro vale) menos R$ 60 mil (quanto ela deve pelo carro). Porém, o risco financeiro a que ela se submete com a

174 Finanças na vida real

alavancagem não é sobre os R$ 20 mil líquidos que ela tem desse bem, mas sim sobre os R$ 80 mil que ela está "operando". Se ela tiver que vender o carro 30% abaixo do preço de mercado, devido à pressa, ela não perderá 30% sobre os R$ 20 mil, mas sobre R$ 80 mil, o que dá R$ 24 mil. Isso significa que ela perderá mais do que todo o valor líquido (100%) que ela tinha referente ao mesmo bem (R$ 20 mil).[2]

Se mesmo vendendo o carro ela não for capaz de resolver sua situação emergencial e precisar vender o imóvel, Ana Cláudia pode conseguir um comprador que pague, digamos, 20% abaixo do valor de mercado. Só que, de novo, não se trata de 20% sobre o valor líquido de R$ 90 mil que ela possui (diferença entre R$ 450 mil e R$ 360 mil), mas sobre R$ 450 mil – ou seja, R$ 90 mil. Ela perderá 100% da diferença líquida que tinha anteriormente.

Isso significa que, ao final das 2 vendas, Ana Cláudia não tem mais o carro, não tem mais o apartamento e ainda está devendo R$ 4 mil, tendo perdido absolutamente tudo que havia pagado anteriormente pelos 2 bens.

Agora escute um segredo valioso: não é incomum que pessoas tenham que vender imóveis e carros com urgência e percam tudo o que já pagaram anteriormente. Por isso, tenha sempre muito cuidado ao comprar um imóvel com alavancagem, mesmo que esse seja seu sonho, pois ela aumenta muito o seu risco.

Oportunidades de financiamento com juros baixos

Um dos argumentos favoritos dos vendedores de financiamentos é ressaltar quando as taxas de juros da economia estão mais baixas. Po-

---

2 Obviamente que o exemplo de 30% é drástico, porém ele mostra que com a alavancagem financeira é possível ter prejuízos muito acima de seu próprio patrimônio.

rém, no caso dos imóveis há algo que você precisa saber: existe uma relação inversa entre o valor dos imóveis e o nível de taxa de juros na economia. Quando as taxas estão baixando, o valor dos imóveis tende a subir mais aceleradamente que a média; quando as taxas estão subindo, o inverso acontece.

Essa foi, inclusive, parte da combinação que eclodiu na crise imobiliária nos Estados Unidos em 2007-2008. A combinação de juros baixos com empréstimos concedidos para pessoas sem capacidade de pagamento fez com que durante anos e anos o mercado imobiliário aquecesse. As pessoas faziam financiamentos sem condições de pagar, contando que seus imóveis valeriam mais no ano seguinte e então poderiam revendê-los. Talvez você se lembre o que aconteceu: as pessoas começaram a ficar inadimplentes com os empréstimos. Sem mais empréstimos, os imóveis não eram mais vendidos e então começaram a desvalorizar rapidamente, porque essas pessoas precisavam se desfazer deles. E tudo ruiu num efeito dominó.

Isso acontece porque se você pode pagar, digamos, R$ 2 mil por mês num financiamento imobiliário, mas verifica que a prestação do imóvel desejado é R$ 2.300, sendo o valor venal de R$ 180 mil, você não leva o negócio adiante. Quando os juros caem, essa mesma parcela cai de R$ 2.300 para R$ 1.800 – mesmo imóvel, mesmo valor de venda de R$ 180 mil. A prestação cai não porque o imóvel agora vale menos, mas porque os juros estão menores. Dessa maneira, uma multidão de pessoas na mesma situação que a sua pensa: "Ah, nessa parcela eu consigo financiar meu imóvel". E essa corrida aquece o mercado de maneira que os imóveis se valorizam até chegar numa condição de equilíbrio. Então o mesmo imóvel sobe de R$ 180 mil para R$ 230 mil, com hipoteticamente uma parcela de R$ 2 mil.

Ou seja: embora o apelo do financiamento do imóvel com taxas baixas seja realmente atraente, é preciso refletir se o preço do imóvel

– que será a base do endividamento total contraído – não está demasiadamente sobrevalorizado.

Talvez uma situação bem oportuna para aquisição de imóvel não seria um momento de aquecimento de mercado nem de baixas taxas, mas sim o contrário. Se você tiver uma conduta de acumulação paciente, pode ser que, com dinheiro em mãos, encontre excelentes oportunidades justamente em períodos de crise, quando os vendedores estão desesperados, os lançamentos estão encalhados e o futuro parece nebuloso. Por outro lado, esse conselho parte da premissa de que você não é especialista em mercados imobiliários e de que talvez pensar racionalmente em períodos de maior incerteza pode ser difícil. Além disso, existem estudos de economia comportamental que mostram que não somos tão espertos quanto pensamos nem tomamos decisões racionais com frequência. As empresas têm departamentos de marketing utilizando técnicas de persuasão que você nem imagina que existam, e dessa maneira pode ser que algo que pareça uma oportunidade não venha a ser mais do que uma técnica de vendas, prejudicando sua avaliação.

Assim, talvez a melhor forma de adquirir o imóvel seja se planejar primeiro, depois se preparar e, assim que você reunir as condições para a aquisição, só então partir para as opções disponíveis. Tentar acertar momentos exatos de mercado é uma tarefa desaconselhada pelos maiores investidores do planeta. Concentre-se em fazer o seu dever de casa e dar a tacada quando tiver condições. Isso já vai colocar você numa situação muito mais favorável que a da maioria das pessoas.

LIFE AS SERVICE (VIDA COMO SERVIÇO)

De uns anos para cá, a tecnologia tem fomentado um conceito que se baseia numa ideia de *"life as service"*. Basicamente essa maneira de viver consiste na noção de que não é necessário possuir coisas, mas sim usá-las. Essa ideia está longe de ser um padrão comportamental, é um estilo que poucas pessoas se dispuseram a experimentar em sua plenitude. Mas a lógica por trás disso é: com os aplicativos de táxi e transporte particular, você pode se deslocar com liberdade sem necessariamente ter um carro. Mais ainda se você mora numa grande cidade. Eu mesmo resolvi vender meu carro em 2014. Porém, permaneci por 3 anos com ele, porque queria saber exatamente o que aconteceria numa emergência. E então a emergência veio: tive um cálculo renal e precisei ir às pressas para o hospital. Eram 18 horas e eu morava em São Paulo, imaginei o inferno que seria o deslocamento. Então peguei o celular e chamei pelo aplicativo um táxi, para aproveitar os corredores que São Paulo disponibiliza para ônibus e taxistas, e consegui chegar rápido. Ou seja: quando a emergência surgiu, eu usei justamente o aplicativo, não meu carro. A prova estava tirada!

É óbvio que a disponibilidade desses serviços varia de acordo com o tamanho da cidade e da região onde você reside. No meu caso em específico, fazia total sentido, porque na região de Pinheiros o atendimento é muito rápido. Cada caso é um caso e precisa ser avaliado individualmente. O fato é que resolvi vender o veículo e assim estou até hoje – e não faz falta. Outras soluções apareceram, como assinaturas nas locadoras, serviços de aluguel *pay per use*, em que carros ficam disponíveis em alguns estacionamentos da cidade e basta reservar, ir até o local, abrir o carro usando o *bluetooth* e usá-lo pelo período contratado.

A reflexão é: eu preciso ter um carro ou preciso me transportar? Eu preciso ter um imóvel ou preciso de moradia? Esse estilo de vida ainda tem poucos seguidores no Brasil, mas existem também iniciativas de residência por assinatura em algumas capitais brasileiras, o que é muito interessante e disruptivo. É como a locação de um imóvel mobiliado, porém sem as burocracias e os contratos de 30 meses. Talvez você esteja se perguntando no que isso se diferencia dos imóveis que alugamos para passar uma temporada nas férias: o conceito de residência por assinatura não é voltado para férias, portanto os endereços são locais de fácil acesso aos principais centros de atividade comercial. Além da facilidade de deslocamento, esses empreendimentos costumam oferecer espaços compartilhados, como lavanderia e, às vezes, até cozinha.

O conceito de *life as service* caminha nesta direção: uma vida em que usar com conveniência é muito mais importante do que ter. E em vários aspectos isso funciona. Os *coworkings* são outro exemplo. Se você é empreendedor, não precisa mais alugar uma sala comercial e providenciar toda aquela parafernália de mobiliário e decoração. Você pode simplesmente fazer um contrato com um *coworking* e pagar por uso. O *coliving*, que tem o mesmo conceito só que para moradia, também é uma alternativa popular entre o público mais jovem, que divide espaços de convivência e, assim, reduz seus custos, sem perder certas conveniências e, ao mesmo tempo, vivendo uma vida sustentável em comunidade e podendo acumular suas economias para investir como desejar no futuro.

Atualmente moro em Florianópolis (não sei se quando você estiver lendo esse livro ainda estarei aqui, pois tenho experimentado uma aventura nômade), no entanto tenho 2 empresas em São Paulo, com endereço fiscal num *coworking*. Quando o telefone toca é direcionado para o meu celular, a minha equipe trabalha 100% remoto, com colaboradores espalhados por vários estados nas diversas regiões do país. De vez em quando preciso fazer umas 3 reuniões em São Paulo, daí reservo a sala de reuniões do *coworking* e pago por esse uso. E sempre que preciso de um espaço comercial em outras regiões, alugo uma sala de reunião, uma sala privativa ou mesmo algumas horas em algum *coworking* de onde eu estiver.

Particularmente eu gosto da liberdade que esse tipo de vida proporciona. Obviamente essa maneira de viver tem também seus desafios, e jamais quero dar a entender que esse é um modelo a ser seguido. Ele funciona para mim e para minha esposa. Estou usando meu caso particular não como uma regra, mas como um exemplo de que coisas que eram impensáveis anos atrás agora são plenamente possíveis, em grande parte pela tecnologia e de maneiras muito diferentes daquelas que imaginávamos, naqueles padrõezinhos previamente determinados.

Quando comprar um imóvel, então?

Neste capítulo, foram feitas observações que raramente são aprofundadas quando esse é o tema da conversa. Repare que existem aspectos financeiros, mas também existem aspectos relacionados ao estilo de vida que cada um deseja ter, e que ambos os fatores devem ser considerados nessa difícil decisão, pois, reforçando, possivelmente essa é a decisão de maior magnitude financeira de toda a sua vida.

A maior parte dos argumentos – talvez todos – apontaram na direção dos "contra" e muito pouco dos "prós" da decisão de comprar um imóvel, seja por financiamento e/ou à vista. A intenção aqui não é influenciá-lo para um dos lados, mas é importante fazer esse papel porque a maioria esmagadora das ideias sobre esse tema, e muito da própria educação familiar que recebemos, vai na direção que você já conhece: todo mundo precisa comprar uma casa. E todos os pontos favoráveis têm, sim, sua parcela de razão e você deve considerá-los. Como seria demasiadamente redundante desafiar você a pensar como o senso comum já elaborou a questão, é muito mais desafiador e instigante trazer a você ideias pouco convencionais sobre o tema, mas deixando sempre a questão em aberto. Afinal, você é o protagonista da sua vida, e só nos cabe muito mais fomentar reflexões do que fornecer receitas prontas que não levam em conta que as pessoas têm bagagens muito diferentes.

Com isso em mente, queremos dizer em que momentos você deveria *mesmo* considerar a compra de um imóvel:

Quando a compra do imóvel é um sonho

Sonho é sonho e cada indivíduo tem o seu. Dessa forma, jamais diríamos a você para desistir do seu sonho. O que queremos é que você o realize da forma mais adequada possível, sem desperdiçar dinheiro nem gerar estresse sem necessidade. Se esse é seu sonho, vá atrás dele. Planeje-se e realize-o seguindo as ideias do livro, pois tudo o que estamos conversando com relação ao imóvel se encaixa também nas técnicas que você está aprendendo.

Se eu, por exemplo, acordo 5h45 da manhã, visto uma roupa de borracha, entro no carro e vou pegar onda num mar gelado em alguma praia de Florianópolis no inverno (às vezes aparecem pinguins perto de mim e sabe-se lá porque eu gosto de fazer isso), como eu poderia censurar qualquer desejo que qualquer pessoa tenha? Jamais. Vamos aprender técnicas de realizá-los para que você tenha uma vida feliz.

Quando alguma estabilidade existe

Talvez esse ponto seja o mais difícil, porque raramente sabemos o que vem pela frente. Mas se você entende que sua vida parece ter entrado num trilho mais estável, que você não almeja coisas em diferentes cidades e está convicto de que abriria mão de oportunidades para continuar vivendo onde vive, que você gosta de onde mora, seus parentes estão sempre por perto e você valoriza isso e, além de tudo, você e sua família (cônjuge e filhos) estão alinhados, talvez essa seja uma situação interessante também para pensar na aquisição do imóvel.

Você poderá fazer suas reformas, ajustar tudo do seu gosto, investir mais no conforto do lar e preparar uma área para receber amigos e parentes, caso assim deseje. Se for isso, então vá em frente! Você certamente vai ser muito feliz com a aquisição do imóvel. Apenas trate de se planejar para fazer isso da melhor maneira possível.

Na aposentadoria

Ao se aproximar da aposentadoria, seria interessante ter o próprio imóvel por 2 motivos: o primeiro é que, de certa forma, você se sentirá bem com a estabilidade; o segundo é que, caso a renda da aposentadoria fique apertada, ao menos com a casa própria você não terá que se preocupar com o custo do aluguel, mudanças e outras chateações. Acho que tudo o que desejamos na aposentadoria é sossego com determinadas questões. E ter seu imóvel pode fazer muito sentido aqui.

É claro que há aposentados, por outro lado, que pensam: "Agora vou me divertir e não quero mais nada, só viajar e conhecer novos lugares". Tudo pode. Na sua vida é você quem manda!

Repare, portanto, que, mesmo que você não tenha a compra do imóvel como um sonho nem se sinta motivado a ter estabilidade durante sua vida profissional, talvez ter o imóvel ao se aposentar possa ser bem interessante. Isso mostra que é completamente desnecessária a pressão por comprar o imóvel de qualquer jeito, pagando o dobro ou o triplo por isso, impulsivamente e sem reflexões aos 20, 30 ou 40 anos. Você pode se concentrar em seguir o exemplo daquele inquilino que ficou 30 anos vivendo de aluguel e, assim, juntar o valor para fazer sua aquisição apenas beirando a aposentadoria. Resumindo, você não precisa ter seu imóvel aos 20 anos se não desejar. Pode tê-lo aos 65 ou 70 sem problemas.

Uma das lições que a vida de inquilino e muitas mudanças durante a vida ensina é que você pode conhecer imóveis diferentes, cidades diferentes, ver o que mais o agrada e ter experiências muito diferentes que também vão compor a sua trajetória de maneira inesquecível.

Com isso, entre aluguel e imóvel, não há regras. Você pode viver 100% da vida como inquilino. Você pode viver 100% da vida como proprietário, ou você pode ainda viver das 2 formas, cada uma no seu tempo, com planejamento e da forma mais consciente e vantajosa possível.

Caso opte pela aquisição, lembre-se do quadro que apresentei neste capítulo. Observe que a entrada na simulação foi de 10%. Uma das maneiras de diminuir o valor do dinheiro a ser jogado fora com juros é aumentando a entrada ou, quem sabe, não pagar nada de juros se planejando para uma compra à vista. Mas, se precisar mesmo financiar parte, planeje-se: minimize custos com juros o máximo possível e, caso você já possua o financiamento, utilize o método 1-2-3 que apresentei aqui no livro para acelerar a quitação.

Resumo do capítulo:

- ▸ A decisão de compra do imóvel é a maior decisão financeira da vida da maioria das pessoas.
- ▸ Não resolva problemas de curto prazo com decisões de longo prazo.
- ▸ Existem fatores financeiros e fatores não financeiros a considerar.

O sonho da casa própria 183

- Um imóvel só deve ser considerado seu após quitado.
- O grau de flexibilidade que você deseja é determinante para a decisão.
- Se alugar é jogar dinheiro fora, pagar juros também é.
- Pode ser que existam momentos de vida mais adequados para a compra do imóvel, e essa decisão não deve ser tomada por impulso.
- A decisão deve ser tomada após muita conversa e alinhamento em família, afinal todos serão impactados por ela.
- Caso opte pelo aluguel, cuidado para não elevar demais o gasto.
- Caso opte pela compra, tente planejar-se para fazê-la à vista ou com a maior entrada possível. E, caso já possua um financiamento, use o método 1-2-3 para acelerar a quitação.

Por mais que as técnicas de finanças possam ajudar você no que se refere à boa conduta financeira e a um estilo de vida mais equilibrado e com mais qualidade, a decisão de como usar os recursos é 100% sua. Assuma essa responsabilidade e usufrua dos benefícios com maturidade!

Capítulo 12

FAÇA O DINHEIRO TRABALHAR PARA VOCÊ

"Um navio no porto está seguro, mas não é
para isso que existem os navios."
William Shedd

No Capítulo 7, conversamos sobre o raio X da situação financeira, quando você foi apresentado a vários indicadores financeiros para medir como estão suas finanças. Um dos indicadores foi o índice de riqueza, que mede justamente a capacidade de gerar renda por meio de fontes não relacionadas ao trabalho (renda passiva). Na medida em que esse índice aumenta, é possível tornar-se cada vez mais e mais independente financeiramente. Já no Capítulo 8 falamos sobre o processo de enriquecimento e empobrecimento, destacando agora o primeiro, que consiste basicamente na capacidade de poupança e aquisição de ativos geradores de renda, aumentando o índice de riqueza ao longo do tempo até que ele seja suficiente para custear as despesas de subsistência. Neste capítulo, os 2 conceitos acima serão de suma importância.

Um jargão dito no mundo das finanças pessoais é que "não se deve trabalhar pelo dinheiro, mas sim colocar o dinheiro para trabalhar". Essa frase resume bem a mentalidade que você pode desenvolver agora. Uma vez que adotar a conduta de usar o dinheiro poupado não apenas para consumos passageiros, mas principalmente para a construção de patrimônio gerador de renda passiva, você estará trilhando o caminho do enriquecimento e da liberdade financeira.

Cuidado, porque é exatamente nesse momento em que várias crenças limitantes podem surgir e atrapalhar sua trajetória rumo ao sucesso financeiro! É nesse ponto que muitos dizem: "Ah, mas isso não serve para mim. Para colocar o dinheiro para trabalhar, é preciso fazer investimentos, mas eu não tenho dinheiro. Isso só serve para quem já tem dinheiro, porque dinheiro chama dinheiro". Esse raciocínio é quase um reflexo imediato de um senso comum aparentemente racional adicionado ao componente comportamental que é o incômodo de sair da zona de conforto.

A realidade, porém, é diferente. Colocar o dinheiro para trabalhar é uma possibilidade se você realmente deseja colocar a própria liberdade financeira como uma prioridade. Há pessoas que passam a vida se queixando de suas condições financeiras, mas, quando se deparam com uma informação que pode modificar sua realidade, refutam-nas com frases do tipo: "não serve para mim". Nada mais do que a preguiça e a autossabotagem assumindo o controle e separando quem realmente deseja a liberdade financeira daqueles que apenas usam a falta de dinheiro como desculpa para não alcançar o que gostariam. Muitas vezes nós nos acomodamos na condição de incapazes de assumir o controle de nossa própria vida, e o rótulo de vítima pode ser quentinho e confortável.

Uma dica: para eliminar as desculpas esfarrapadas em busca do protagonismo, é preciso, antes, que você aceite a desconcertante afirmação de que não é preciso ter dinheiro para colocar o dinheiro para trabalhar! Talvez muitos hesitem aqui, pois, ao aceitar essa dura realidade, percebe-se de forma cristalina que a solução para a liberdade financeira está, sim, ao nosso alcance! Como tudo na vida, trata-se de um processo de construção gradativa.

Outros dirão: "Ah, mas pode ser demorado, e eu preciso de dinheiro agora". Bem, o que precisa ser entendido é que sem mudança comportamental nada vai acontecer, nem hoje nem nunca! Ao optar por não mudar a conduta, o processo de empobrecimento também será gradativo (mas um pouco mais rápido que o enriquecimento). Então, agora que você tem 2 opções na mesa, qual acha que deve escolher?

- ▶ Ser pobre e financeiramente dependente hoje e sempre OU
- ▶ Ser financeiramente livre em alguns anos.

É importante ainda ter clareza de que todas as pessoas, no futuro, terão que viver em função de alguma renda passiva. Então a decisão não é construir ou não renda passiva, mas sim construir uma renda passiva que proporcione liberdade e qualidade de vida ou viver de renda passiva como os programas sociais do governo ou a aposentadoria do INSS. Ou seja: agora você pode escolher entre construir uma renda passiva de um salário mínimo, que é o mínimo do INSS, ou uma renda passiva que realmente lhe garanta algum conforto – o que pode incluir o próprio INSS e até mesmo ir muito além dele. Aliás, é importante observar que a aposentadoria pelo INSS está sujeita a regras criadas e modificadas por políticos de tempos em tempos, de maneira que o futuro da renda do indivíduo que depende exclusivamente dessa fonte não estará totalmente em suas mãos. Ao passo que um planejamento próprio traz consigo um grau menor de dependência de agentes externos e é condizente com a ideia de assumir as próprias rédeas da vida financeira.

No ciclo de vida financeiro, nos deparamos com a seguinte situação:

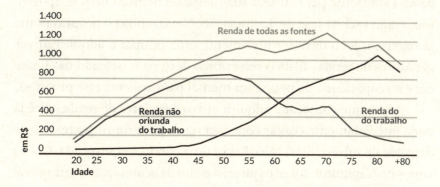

A figura extraída do livro *Investimentos*, do Mauro Halfeld, ilustra bem essa questão. A renda total inicia-se sendo toda oriunda do trabalho e, com o passar da idade, a renda não oriunda do trabalho (renda passiva) vai sendo construída. Em função do crescimento dessa renda passiva ao longo do tempo, num determinado momento ela ultrapassa a renda do trabalho e se torna a renda principal. Até mesmo por uma questão de limitação física provocada pelo envelhecimento, a capacidade de trabalho vai se reduzindo.

É possível concluir que a construção da renda passiva será determinante na qualidade de vida futura e que, dependendo do grau de prioridade que um indivíduo dê a essa construção, pode ser que ela se torne principal antes mesmo da velhice, proporcionando o alcance da independência financeira total.

As duas fases do ciclo de vida financeiro

O ciclo de vida financeiro é composto de 2 fases distintas: a fase de acumulação e a fase de usufruto, e em cada uma delas o foco deve estar

188 FINANÇAS NA VIDA REAL

direcionado para ações específicas. Se você não alcançou ainda renda passiva suficiente para custear suas despesas mensais nem se aposentou, então está na fase de acumulação. Nessa, como o próprio nome já sugere, o foco deve ser justamente este: poupar e adquirir ativos geradores de renda. Todo o seu esforço deve estar baseado nas finanças e na capacidade de poupança mensal para acelerar esse processo.

Assim que começar a adquirir ativos geradores de renda, você já pode imediatamente contar com essa renda para suprir parte de suas despesas de subsistência? Não. Essa é uma conduta equivocada. Como vimos no Capítulo 9, sobre os juros, o efeito de acumulação patrimonial se acelera exponencialmente na medida em que acontecem os juros sobre juros – por isso, você deve buscar o mesmo efeito na formação da sua renda passiva. Já que você está na fase de acumulação e consegue viver com a renda do trabalho e ainda poupar um pouco, o correto é não utilizar nenhum valor obtido da renda passiva, e sim reinvestir. Essa decisão provocará o milagre da multiplicação exponencial ao longo dos anos, fazendo com que sua renda passiva fique cada vez maior, gerando benefícios inimagináveis quando realmente tiver que utilizá-la.

Já se você utilizar os rendimentos da renda passiva mensalmente, o crescimento patrimonial passa a se assemelhar mais com os juros simples, em que o retorno se dá apenas sobre o montante inicialmente aplicado, sem gerar o efeito exponencial desejado.

Na fase de usufruto, quando a renda proveniente do trabalho já não for mais a sua principal fonte e tender a diminuir, a renda passiva passará a ser usada para sua finalidade e a conduta financeira mudará o foco da acumulação para a preservação de tudo que você construiu.

Assim, para que não reste nenhuma dúvida sobre qual deve ser o seu foco quanto ao ciclo financeiro, é necessário fazer uma autoavaliação e determinar com clareza em que fase você está. E, uma vez que isso fique claro, automaticamente já se sabe o que deve ser feito.

Não é preciso ter muito dinheiro

Quando se fala em renda passiva, é comum pensar na renda proveniente de aluguel de imóvel. Sim, esse é um dos exemplos mais claros de colocar o dinheiro para trabalhar: comprar um imóvel e alugá-lo. Mensalmente, a renda do aluguel vai acontecer sem que você precise trabalhar diariamente por ela. Sabemos, porém, que no início as pessoas não possuem R$ 100 mil, R$ 200 mil ou R$ 500 mil para adquirir um primeiro imóvel. Mas o ponto aqui é que o imóvel não é a única maneira de gerar renda passiva. Existem várias formas que cabem em todos os bolsos. Se você tiver a capacidade de poupar R$ 100, será possível começar a gerar renda passiva. Ou seja: não é preciso ter muito dinheiro para começar o processo de enriquecimento. Basta seguir as dicas sobre eliminação de dívidas, melhoria das finanças e do orçamento e fazer economias com inteligência, que o dinheiro vai sobrar cada vez mais no orçamento, permitindo que os R$ 100 frequentes se tornem mensais e aumentem cada vez mais: para R$ 150, R$ 200, R$ 500 e assim sucessivamente.

A ideia de colocar o dinheiro para trabalhar é basicamente trocar a noção de "guardar" pela de investir. Muitas pessoas guardam dinheiro na gaveta, no colchão, na conta corrente ou mesmo na caderneta de poupança. Não contam com nenhum tipo de correção do valor poupado e, assim, não criam a renda passiva nem tampouco aproveitam a mágica dos juros compostos – que poderia transformar os poucos centavos que rendem no início em milhares de reais após um período disciplinado de acumulação e rendimentos.

Colocar o dinheiro para trabalhar significa ter a iniciativa de aprender sobre alternativas de investimento e compreender que, no longo prazo, bons investimentos com boas rentabilidades podem produzir verdadeiras fortunas. Ou seja: é não tratar o dinheiro poupado de maneira passiva, mas observá-lo de maneira ativa, sendo capaz de incrementar algum valor adicional para aumentar o patrimônio por si mesmo.

Você trabalha dia após dia para ser remunerado no final do mês sabendo que enquanto isso seu dinheiro também está produzindo mais dinheiro diariamente. E dessa maneira simples, com alguma disciplina de poupar sempre e aprendizado sobre investimentos, o patrimônio vai se formando e crescendo, assim como a renda passiva.

Quem não tem a mentalidade da construção da riqueza faz sua primeira aplicação financeira com R$ 100, observa os juros e pensa: "Nossa, mas são apenas alguns centavos por mês. Não vale a pena!" Já aquele que compreende o processo de construção patrimonial, ou seja, que sabe o papel dos juros compostos, entende que aqueles centavos iniciais significam que a renda passiva agora é uma realidade! E que a disciplina de poupar dinheiro frequentemente, junto com a evolução do capital ao longo do tempo, fará a renda passiva aumentar religiosamente todos os meses.

Certa vez, um piloto de Fórmula 1 foi questionado por um jornalista sobre o seu tempo no treino de classificação. Ele estava decepcionado por ter ficado em segundo lugar, a 0,3 segundos de distância do primeiro colocado. O repórter disse: "Mas por que você está tão chateado se foram apenas 3 décimos de segundo de diferença?" O piloto balançou negativamente a cabeça e explicou ao repórter: "Não me preocupo exatamente com o resultado desse treino de hoje. Estou muito preocupado na enorme desvantagem que esses míseros 3 décimos de segundo por volta vão causar em 70 voltas de prova. A cada 3 voltas, 0,3 segundos vai dar praticamente 1 segundo. Em 70 voltas terei mais de 23 segundos de desvantagem ao todo. Como cada volta leva 1 minuto e 9 segundos para ser completada, chegarei ao final da corrida com uma desvantagem de cerca de 1/3 do tamanho do circuito, que totaliza 4 quilômetros, portanto ficarei a mais de 1 quilômetro de distância do vencedor. As minhas chances são mínimas. E se pensarmos nessa diferença pelas 20 corridas do ano?".

A reflexão do jornalista era sobre os centavos do primeiro mês de investimento. A reflexão do piloto era sobre como toda aquela diferença acumulada ao longo do ano poderia eliminar suas possibilidades de vencer o campeonato. A situação do oponente era aparentemente imbatível numa consideração de longo prazo. Uma pequena diferença se avolumando ao longo do tempo, feito um rolo compressor criando um poder absurdo. Alguma semelhança com as finanças e com a formação da renda passiva?

EXEMPLOS DE ATIVOS QUE GERAM RENDA PASSIVA

Imóveis

É o exemplo mais usado de ativo gerador de renda e também o mais fácil de compreender. Porém, há que se fazer uma distinção quanto ao uso do imóvel. Simplesmente comprar um imóvel não cria renda passiva. Um imóvel para moradia, por exemplo, não serve a esse propósito, pois não gera renda nenhuma. Então o imóvel só pode ser considerado um ativo gerador de renda passiva caso seja adquirido para ser alugado.

O investimento em imóvel lhe reserva alguns desafios se você escolher que essa vai ser uma das suas fontes de renda passiva. A primeira delas diz respeito ao volume de trabalho – pois é, não estamos falando de um ativo que dispense qualquer empenho. Algum trabalho vai dar, tal como é necessário ter alguma compreensão do mercado imobiliário para adquirir algo que seja uma oportunidade.

Vamos supor que um imóvel A seja vendido por R$ 300 mil com potencial de aluguel de R$ 1 mil. Dessa maneira, seu retorno mensal pelo capital investido será obtido dividindo mil por 300 mil, o que equivale a 0,33% de retorno mensal. Mas, por outro lado, se um imóvel B (vizinho) e nas mesmas condições estiver à venda há muito tempo sem sucesso, pode ser possível negociar um valor menor pela sua aquisição. Digamos que, em função da necessidade de dinheiro, o proprietário tope vendê-lo por R$ 200 mil. Como o imóvel tem o mesmo potencial de locação de R$ 1 mil mensais, então vai gerar um retorno mensal de 0,5%.

Você percebeu que, apesar de ambos os imóveis gerarem o mesmo valor de aluguel, o imóvel B oferece um retorno mais atrativo?

Isso significa que, sem fazer as devidas análises realistas, um investidor imobiliário estaria fadado a também fazer aquisições de imóveis com preços elevados de tal maneira que a taxa de retorno poderia ser menor que a desejada. O que se pode observar é que um investidor imobiliário normalmente não vai às compras dos imóveis para locação sem noção do mercado em que pretende investir nem tampouco se seduz por lançamentos de construtoras ou apelos de marketing. O objetivo dele é encontrar oportunidades de investimento que maximizem o retorno para o seu capital. Ou seja: é preciso realmente estar por dentro das oportunidades e acompanhar o mercado imobiliário.

Além disso, é comum que os imóveis necessitem de manutenção e atualização para que continuem competitivos no mercado de locação e consigam extrair boas taxas de retorno. Há também a preocupação relacionada à vacância do imóvel durante determinados períodos, pois além de interromper a renda passiva ainda gera custos como condomínio e IPTU. Adicionalmente, existem os riscos de inadimplência e de outros problemas com inquilinos.

Como você pode observar, a aquisição de imóveis para a formação de renda passiva é perfeitamente viável e pode de fato proporcionar liberdade financeira no longo prazo. No entanto, algum conhecimento é necessário para superar os desafios naturais desse tipo de investimento. Uma vez que o imóvel seja adquirido, que esteja em boas condições e seja bem locado, o trabalho necessário praticamente vai a zero, e basta ao proprietário receber mensalmente sua remuneração pela locação. Isso inclusive libera seu tempo, caso queira investir em outros imóveis, para pesquisar e garimpar novas oportunidades.

Um ponto a ser considerado é que a aquisição de um imóvel não é possível com pequenos valores. E, além disso, esse investimento imobiliza muito capital quando se pensa no balanço patrimonial que discutimos anteriormente. Dessa maneira, não é recomendável que um indivíduo pegue todo o dinheiro que poupou ao longo de um tempo e imobilize tudo num único imóvel. O correto é pensar no imóvel como uma parcela na diversificação total dos investimentos de modo que não comprometa a liquidez. Isso significa que o imóvel não é o ativo gerador de renda passiva adequado para o início da trajetória. Mas é, sim, um dos exemplos que devem ser considerados em alguma fase mais adiantada do processo.

Investimentos em renda fixa

Os investimentos em renda fixa são feitos no mercado financeiro. Esse é essencialmente um mercado em que um investidor empresta o seu dinheiro para terceiros e obtém uma taxa de juros por isso – e assim se cria uma renda passiva. Diariamente – ou de acordo com as regras da aplicação –, o valor aplicado vai sendo corrigido e atualizado. Num determinado prazo, a aplicação se encerra e o investidor recebe o valor principal com a adição de juros por todo o período da transação.

A maioria das pessoas se lembra da caderneta de poupança como um investimento de renda fixa. Tecnicamente, a caderneta de poupança não é um "título de renda fixa", e sim uma conta remunerada. A renda fixa apresenta muito mais alternativas que a poupança.

Ao fazer um investimento em renda fixa, pode-se emprestar dinheiro para o Governo, para bancos e para empresas, e esses 3 agentes se tornam emissores de títulos de dívida. Quando você empresta dinheiro para o Governo, adquire títulos públicos. Quando é para o banco, são títulos de emissão bancária; e, finalmente, quando empresta para empresas, adquire títulos de emissão corporativa.

Uma dúvida corriqueira quanto à compreensão da renda fixa é: "Mas se o Governo, os bancos ou as empresas estão pegando dinheiro emprestado, isso significa que eles estão em dificuldades? E qual é o meu risco?" Obviamente que essa pergunta é pertinente, mas nada que um pouco de informação não possa resolver. De fato, o Governo Federal tem uma dívida acumulada ao longo de toda a sua existência e precisa rolá-la. Assim, ele emite títulos para a aquisição de investidores como um modo de postergar a dívida. Na medida em que títulos de dívida vão vencendo, o governo lança novos títulos para datas futuras, de maneira a fazer essa rolagem.

Mas e quanto aos bancos? É necessário compreender que a atividade bancária é de intermediação financeira e que o dinheiro é a matéria-prima para tal fim. Assim como uma loja de material de construção tem diversos produtos em estoque para venda ao público, os bancos precisam ter dinheiro em estoque para emprestar às pessoas que precisam recorrer ao crédito. Então o banco pega dinheiro com os investidores e empresta numa taxa mais elevada aos tomadores de crédito, ficando com a diferença entre as taxas de juros como lucro. Essa diferença é conhecida como *spread* bancário. É por isso que bancos pegam dinheiro dos investidores. Muitas pessoas não se dão conta de que quando aplicam em produtos relativamente populares, como CDBs, LCIs ou LCAs, estão, na verdade, fazendo esse empréstimo.

Já no caso das empresas, existem algumas peculiaridades: as empresas, ao realizarem sua atividade operacional, obtêm uma taxa de retorno normalmente superior ao custo do crédito e, por isso, até determinado limite vale a pena para elas contrair empréstimos a fim de acelerar o crescimento e as vendas. Se a recomendação é que uma pessoa física evite as dívidas a todo custo, para pessoas jurídicas, desde que de maneira controlada, isso é diferente. E por que as empresas não pegam dinheiro com os bancos, então? Elas pegam, sim. Porém, lembre-se de que os bancos fazem essa intermediação. Digamos que um banco pegue um dinheiro emprestado de um investidor por meio de um título de emissão bancária numa taxa de 3% ao ano e empreste esse mesmo dinheiro para uma empresa a 8% ao ano. Note que os 5% de diferença ficam com o banco, porque a empresa paga 8% e o investidor recebe 3%. Quando a empresa tem uma boa reputação no mercado e grande porte, ela pode "pular" a intermediação financeira dos bancos e ofertar seus títulos diretamente ao público investidor. Nesse caso, pode ser que ela consiga, por exemplo, obter uma taxa de 4% ao ano junto ao investidor. O simples fato de "pular" o banco permite à empresa tomar o empréstimo mais barato e ao investidor ganhar um pouco mais de retorno.

$$\text{Investidor} \xrightleftharpoons[\text{R\$ + 3\%}]{\text{R\$}} \text{Banco} \xrightleftharpoons[\text{R\$ + 8\%}]{\text{R\$}} \text{Empresa}$$

Lucro do banco: 5%

O principal risco na renda fixa é chamado de risco de crédito. Ou seja: é o risco de que aquele para quem emprestamos nosso dinheiro não honre com o compromisso de devolver o dinheiro com a taxa pactuada na data combinada. Em termos de risco, temos uma escala de referência geral:

- ► Emprestar para o Governo: menor nível de risco;
- ► Emprestar para bancos: segundo menor nível de risco;
- ► Emprestar para empresas: maior nível de risco; que pode ter alterações em casos específicos.

Investir em títulos de renda fixa no mercado financeiro é, portanto, uma forma de obter renda passiva. Aliás, os investimentos em renda fixa são a primeira possibilidade se você estiver começando. É possível encontrar opções de aplicações em títulos do Governo a partir de apenas R$ 30.

Ações

O investimento em ações é outro exemplo de geração de renda passiva. Ao contrário do que muitas pessoas acreditam, o rendimento obtido no mercado acionário não é apenas fruto do sobe e desce das cotações. Existem diversas formas de investir em ações, e de fato uma delas é o investimento especulativo que visa obter ganhos justamente com essas oscilações de preços. Existe, porém, outra abordagem, que se refere à compreensão de que uma ação não é apenas um código no mercado financeiro cujos preços se alteram a cada segundo. Os maiores investidores em ações de todos os tempos, incluindo o maior deles, Warren Buffett, não veem muita importância nas oscilações de preço do dia a dia. Partem da premissa real de que uma ação é um pedaço de uma empresa que atua na chamada "economia real", vendendo produtos e serviços para o público em geral. Essa visão do investimento em ações – com o objetivo de realmente investir e não apenas especular – busca compreender a empresa cuja ação está sendo adquirida. Verificam-se suas condições financeiras, a capacidade de obter lucratividade, o tamanho da dívida, a força financeira e o ambiente de concorrência; as oscilações de preços são secundárias.

O que muitos não sabem é que, como as empresas vendem seus produtos e serviços obtendo determinado lucro periodicamente, elas distribuem parte desses lucros na forma de dividendos para os acionistas. Assim, um investidor que adquira ações receberá periodicamente um crédito de determinado valor a título de distribuição de parte dos lucros da companhia, constituindo assim a renda passiva.

Não há periodicidade obrigatória para a distribuição dos dividendos, mas pelo menos uma vez por ano isso deve ser feito. Algumas empresas os distribuem mais vezes que outras, porém não se pode contar com uma periodicidade mensal. O percentual do lucro que será distribuído como dividendo também varia de empresa para empresa. Um investidor que queira constituir sua renda passiva assim, portanto, deve ter ações de empresas de boa saúde financeira, lucrativas e que distribuam bons dividendos. O ideal para minimizar a incerteza das datas de pagamento de dividendos é obter uma carteira diversificada de ações, pois é justamente assim que os dividendos vão se espalhando ao longo do ano, de acordo com os pagamentos efetuados pelas diversas empresas. Investidores com foco no longo prazo e uma visão de sócio das empresas cujas ações adquirem podem, portanto, obter renda passiva a partir daí.

Obviamente que formar renda passiva no mercado acionário requer bastante estudo e aprofundamento, mas o processo se torna mais automático uma vez que os conceitos estejam compreendidos. Quando os dividendos são creditados na conta, o investidor adquire mais ações e, como consequência, aumenta seus dividendos gradativamente.

É importante esclarecer também que o investimento em ações tem riscos e que esses riscos não se adequam a todas as pessoas. Assim como você precisa saber que esse é um investimento de longo prazo, pois pode ter sérios prejuízos caso seja necessário sacar recursos num momento de queda generalizada nas cotações. O objetivo deste livro é fazer uma apresentação do tema, a fim de que você conheça as possibilidades e busque leituras adicionais para se profundar no universo das ações.

Fundos de investimento

Os fundos de investimento são mais um produto disponível no mercado financeiro que permite a criação de renda passiva. São estruturados num formato de condomínio, em que diversos investidores, em vez de absorverem para si a tarefa de seleção de títulos e ações, aplicam seus recursos e delegam a seleção dos ativos – tais como títulos de renda fixa e ações – a um gestor profissional, que é responsável por diariamente acompanhar os mercados financeiros em busca de oportunidades.

Os principais tipos de fundos de investimento são:

- ▶ **Fundos de renda fixa:** O gestor aplica o dinheiro dos cotistas do fundo apenas em títulos de renda fixa;
- ▶ **Fundos de ações:** O gestor aplica o dinheiro dos cotistas preponderantemente em ações;
- ▶ **Fundos multimercados:** O gestor pode misturar vários tipos de título, conforme sua estratégia.

Outra modalidade é o FII (fundo de investimento imobiliário), que reúne o capital dos investidores e adquire imóveis para aluguel.

Periodicamente se distribui, creditando na conta de cada investidor, o valor proporcional do aluguel referente às suas cotas. É uma opção inteligente para o investidor que deseja investir no mercado imobiliário com mais simplicidade e comodidade. Os FII possuem grande diversificação de imóveis e inquilinos em suas carteiras, além de serem bastante acessíveis para praticamente qualquer bolso. Existem cotas de FII sendo negociadas por volta de R$ 100. Isso significa que, se você tiver interesse em formar a renda passiva no mercado imobiliário mas estiver sem recursos para adquirir um imóvel inteiro, pode muito bem avaliar os FIIs como uma alternativa interessante. Periodicamente – muitos até mesmo mensalmente – os investidores recebem os pagamentos, permitindo a compra de novas cotas a cada ciclo de recebimento. É similar ao investimento em imóveis, só que de maneira fracionada. Os FIIs precisam ser estudados com a mesma seriedade das ações, compreendendo os imóveis pertencentes a ele, suas características e os riscos associados. É preciso compreender que dentro de um FII existem imóveis e, por isso, é importante ter noções das taxas de vacância, dos prazos dos contratos e dos dividendos.

Existem fundos disponíveis para todos os gostos e bolsos, e estudar mais a fundo essa modalidade também é necessário para quem deseja utilizá-los em parte de sua renda passiva.

Invesgócios

Provavelmente não será possível encontrar esse termo com uma definição formal. O termo "invesgócio"[1] foi cunhado pelo educador financeiro Eduardo Teixeira (conhecido como Eduardinho) e resume muito bem o conceito desse tipo de investimento.

---

1   Para saber mais, veja o vídeo: <https://youtu.be/8_jBDlDa3v0>.

Basicamente, Eduardinho mesclou as palavras *investimentos* e *negócios* e enquadrou modalidades de investimento que são uma mistura das 2 coisas. Têm um pé nos negócios, porque normalmente são atividades da economia real, mas também têm um pé nos investimentos financeiros, pois não exigem dedicação integral do empreendedor.

Alguns exemplos de invesgócios:

- Aluguel de imóveis;
- Aluguel de imóveis por temporada (usando serviços como do Airbnb);
- Compra de terrenos para venda posterior com ganhos;
- *Vending machines*, que são aquelas máquinas de vendas em que o usuário coloca o dinheiro e recebe o produto sem qualquer interação com um humano;
- Aquisição de caminhões para serviços de transporte de cargas diversas;
- Aluguel de táxi (principalmente antes da chegada dos aplicativos de transporte particular) para terceiros;
- Aluguel de área para instalação de antenas de celular;
- Aquisição de estacionamentos;
- Plantação de madeira (mogno, eucalipto etc.).

Para fazer investimentos financeiros é necessário capital. Para empreender e criar negócios são necessários capital e trabalho. A junção das 2 atividades na palavra invesgócio consolida uma ideia de formação de renda passiva em atividades empreendedoras que sejam mais intensivas em capital do que em trabalho propriamente dito. Resumindo, os invesgócios são atividades empreendedoras que um indivíduo pode perfeitamente desenvolver em paralelo com sua atividade profissional, uma vez que não exige dedicação diária.

Na lista de exemplos apresentada, não fazemos nenhuma avaliação ou recomendação dessas atividades. São meramente exemplos que ilustram a ideia do invesgócio como fonte de renda passiva e podem muito bem se adequar à própria experiência e conhecimento de cada pessoa. Sugerimos, com toda certeza, que você faça uma intensa análise antes de tomar qualquer decisão.

Participação em pequenos empreendimentos

Outra maneira de formar renda passiva é obter participação em pequenos negócios. Em função da tecnologia, atualmente grandes negócios podem surgir na casa das pessoas, bastando para isso acesso à internet e muita dedicação. Às vezes é um sobrinho talentoso que está desenvolvendo um projeto e que precisa de recursos para necessidades básicas, tais como compra de computadores e equipamentos, nesse nível de investimento. Outras vezes pode ser uma pizzaria do bairro. Tudo isso certamente vai exigir uma série de comprometimento dos envolvidos, transparência nas prestações de contas, confiança e a disposição para aceitar uma boa dose de risco, já que a maioria dos negócios embrionários não prospera. Mas, por outro lado, eles representam também oportunidades para investir capital sem necessariamente ter que se dedicar em pessoa à atividade. E, dando certo, podem se tornar uma formidável fonte de renda passiva.

RENDA PASSIVA PARA TODOS OS GOSTOS

Agora está claro que é vasta a quantidade de opções de aquisição de ativos que geram renda passiva. Cada pessoa poderá escolher que caminho seguir de acordo com o valor disponível no início da jornada, com a própria preparação e com a disposição ao risco. Uma boa forma é obter uma diversificação razoável para se proteger de problemas com algo que não dê certo, mas nem tão diversificado assim que seja impossível entender e acompanhar. Algum estudo em maior ou menor grau, em maior ou menor detalhe, também vai ser exigido, mas lembre-se de que é a construção da sua independência financeira que está em jogo – assim, estudar, ler e aprender sobre negócios e investimentos faz parte do caminho. Opções para renda passiva não faltam!

Resumo do capítulo:

- ► O ciclo financeiro é composto da fase de acumulação e da fase de usufruto.
- ► O foco da fase de acumulação é acumular.
- ► O foco da fase de usufruto é preservar.
- ► A renda passiva deve ser totalmente reinvestida durante a fase de acumulação.
- ► Há diversas maneiras de construção de renda passiva, para todos os bolsos e em todos os estágios.

A formação da renda passiva é o caminho certeiro para a independência financeira.

Capítulo 13

DE ENDIVIDADO A INVESTIDOR: OS PRIMEIROS PASSOS

No capítulo anterior, ao explorarmos diversas alternativas de construção de renda passiva, várias vezes usamos as palavras "investir", "investidor" e "investimento". Isso já é um primeiro sinal de que a transformação promovida nas finanças vai tirar você da condição de pagador de contas em desespero para uma outra realidade: procurar oportunidades para valorizar o capital que será capaz de acumular, ou seja, tornar-se um investidor. E a mudança de mentalidade já é o primeiro passo para que a realidade seja construída concretamente.

Isso significa que o simples fato de organizar as finanças, gastar menos do que ganha, usar as dicas que apresentamos ao longo deste livro – incluindo a melhoria do orçamento, um bom balanço entre custos fixos e variáveis, as técnicas de economizar com inteligência e, por fim, o processo de acumulação de patrimônio – vai transformar sua realidade financeira da água para o vinho.

Porém, agora outra preocupação aparece: como transformar-se num investidor consistente, ou seja, como não regredir novamente à condição de devedor ou de finanças desajustadas? Para responder a

204   Finanças na vida real

essa questão, é preciso ter estratégia, e uma delas é não tomar decisões equivocadas justamente na hora de começar a investir. É preciso agir com inteligência para modificar sua realidade financeira e não ter mais os problemas anteriores como dívidas ou qualquer deslize ou acontecimento desfavorável que possa vir a prejudicar o processo.

Alçando a estabilização financeira

O primeiro passo dessa transformação é construir uma fortaleza ao redor das finanças para protegê-las e blindá-las de possíveis ataques surpresa. Esses ataques são os imprevistos. No instante em que você começar a fazer o capital sobrar, é natural que flerte com diversas possibilidades de investi-lo, mas o alerta que fica é: se fizer isso de maneira atabalhoada, poderá ficar em maus lençóis. Para evitar erros grotescos, pense que a primeira etapa dos investimentos não deve ser focada em obter o melhor ganho possível para o capital acumulado, mas sim estabilizar as finanças. Após a estabilização das finanças, considere também os objetivos de consumo. E, por fim, aí sim comece os investimentos para formação de patrimônio e de renda passiva visando a aposentadoria.

Muitos novos investidores falham nessa etapa e começam já pensando na formação de renda passiva, nos investimentos de longo prazo, sem antes construir a estabilidade nas finanças e desconsiderando os objetivos de consumo. O problema dessa atitude é que ela se mostra pouco sustentável, na medida em que qualquer chacoalhada financeira destrói tudo: destrói a segurança, destrói os objetivos e destrói inclusive a formação da renda passiva. A construção de uma carteira de investimentos precisa ser feita tal como um jogo de blocos empilhados: construindo as bases e colocando as peças organizadamente umas sobre as outras. Se você tiver paciência para fazer dessa forma, a edificação da liberdade financeira será bem trivial, tornando-se meramente uma questão de tempo. A pergunta deixará de ser "Será que conseguirei?", transformando-se em "Quando conseguirei?".

Outra analogia é com a montagem de um time de futebol. Imagine-se como um técnico formando uma equipe do zero. Por onde começar? Pelo goleiro e pelos zagueiros, assim montando a defesa. Depois, escolha aqueles jogadores que integram o meio de campo, ajudando tanto na defesa quanto fazendo a ligação das jogadas entre a defesa e o ataque, e, por fim, monte o ataque. Em nenhuma competição existe time campeão que tenha uma defesa ruim. Embora a defesa não marque gols e, portanto, não seja tão celebrada quanto o ataque, é ela que oferece sustentação e segurança para que os demais jogadores em campo busquem realizar seu trabalho tranquilos porque sabem que a retaguarda está bem protegida.

O processo de investir é idêntico. Se a defesa nos investimentos for bem montada, todo o restante poderá ser construído da melhor maneira. Se ela for mal montada, você terá um frágil castelo de cartas suscetível a ruir com um leve sopro.

E como se faz para montar a defesa e alcançar a estabilização financeira? A primeira coisa é começar a investir pensando em segurança, não em rentabilidade. Quando se coloca a segurança em primeiro lugar, a busca é por investimentos que jamais corram o risco de se desvalorizarem, em nenhum momento, e que possam ser resgatados com velocidade. A construção da estabilização financeira se dá, portanto, justamente com investimentos conservadores. Muitos utilizam a caderneta de poupança para essa alternativa, e sem dúvida ela atende aos pré-requisitos: ninguém corre o risco de tirar menos dinheiro do que aplicou quando guarda dinheiro na caderneta de poupança e há a facilidade de poder retirá-lo em qualquer momento, inclusive nos caixas automáticos nos fins de semana.

A caderneta de poupança, porém, não é a alternativa mais recomendável para essa finalidade. Existem alternativas tão seguras quanto (ou até mais seguras) e com rentabilidade ligeiramente superior, tais como os CDBs com liquidez diária, o título Tesouro Selic disponível na plataforma do tesouro direto e os fundos de renda fixa que aplicam seus recursos em títulos públicos federais. Em todos esses casos, a rentabilidade almejada se encontra ao redor da chamada Taxa Selic, que é a taxa básica da economia definida pelo Banco Central em reuniões periódicas. Para saber a Taxa Selic vigente no momento, basta consultar o site do Banco Central,[1] pois é essa exatamente a expectativa que se deve ter para o rendimento dos investimentos destinados à segurança. A caderneta de poupança oferece uma rentabilidade de 70% da própria Taxa Selic de maneira que, mesmo com a isenção de imposto de renda, entrega retorno inferior aos outros citados que também rendem por volta da Taxa Selic.

Encontrar essas alternativas atualmente é muito fácil, disponíveis tanto em bancos quanto em plataformas digitais de investimentos. Outra vantagem dessas possibilidades sobre a caderneta de poupança é a rentabilidade diária: enquanto a caderneta tem data mensal de aniversário e rendimento para cada depósito efetuado (ou seja, se você saca o dinheiro antes dessa data, deixa de ganhar o rendimento), o saldo das aplicações nas alternativas mencionadas é atualizado a cada dia útil. O montante aplicado numa ou mais de uma dessas alternativas mencionadas com a finalidade de segurança é também conhecido como "reserva de emergência".

A próxima questão que você deve compreender é a seguinte: quanto investir na reserva de emergência? Há diversas recomendações sobre esse assunto, porém a maioria delas converge para um montante que equivalha a um valor entre 6 e 12 vezes a sua renda

---

1   Acesse: <https://www.bcb.gov.br>.

mensal. Quando a reserva de emergência é concluída, a blindagem financeira está feita, assim como a estabilidade.

Em termos práticos, vamos pensar na Rafaela, que é *souschef* de cozinha e mora com o marido, Leo, que é gari, e um filho no início da adolescência, na casa herdada da avó dela. A renda mensal líquida deles é de R$ 5 mil, então eles deverão ter uma reserva de emergência que pode variar entre R$ 30 e R$ 60 mil. Rafaela sabe que sua carreira está progredindo, que a rede em que trabalha está expandindo e ela está perto de se tornar *chef* numa das novas filiais, portanto sua renda vai subir ainda mais e seus parâmetros da reserva devem ser ajustados proporcionalmente quando a promoção chegar. A flexibilidade entre 6 e 12 vezes a renda é a margem que temos para adequação à nossa percepção de risco. Se no futuro Rafaela e o marido já tiverem conseguido formar uma reserva de emergência de 6 vezes a renda da família, mas começarem a se preocupar em ela perder o emprego em função de alguma crise que se avizinha – com a pandemia do coronavírus o setor de alimentação fora do lar foi um dos mais afetados, por exemplo – ou mesmo por algum problema de administração na rede de restaurantes em que trabalha, pode ser prudente aumentá-la para 8, 9 ou até mesmo 12 vezes o valor da renda. O mesmo pode ser recomendável para quem deseja mudar de carreira e que, por esse motivo, tenha que trocar o emprego atual por um novo emprego de salário menor, mas na nova área de interesse. A reserva de emergência auxilia nessa transição sem que haja caos financeiro.

É preciso que o novo investidor tenha clareza de que os rendimentos da reserva de emergência não têm a finalidade de serem os melhores possíveis, pois o objetivo desse capital é estabilizar as finanças e proporcionar segurança. É a construção de uma defesa sólida, lembrando a analogia com o futebol. Não se deve esperar que a defesa faça gols. Pode até acontecer vez ou outra, mas não é isso que mais importa para a defesa. Assim deve ser encarada a reserva de emergência; depois que ela estiver montada, você poderá partir em busca de novas alternativas de investimentos – essas, sim, com maior potencial de retorno.

Juntando tudo que foi discutido até aqui, você pode imaginar a blindagem financeira da família de Rafaela, que tem a capacidade de poupar 20% (índice de poupança) do que ganha, consegue ter uma proporção nos gastos totais de 50% em custos fixos e 50% em custos variáveis e tem uma reserva de emergência de 6 vezes a renda. Se eles conseguem poupar 20% da renda, significa que gastam 80% e que então os custos fixos representam 50% dos gastos, mas 40% da renda. Ou seja, levando-se em consideração a renda, ela se distribui em 20% poupados, 40% de gastos fixos e outros 40% de gastos variáveis.

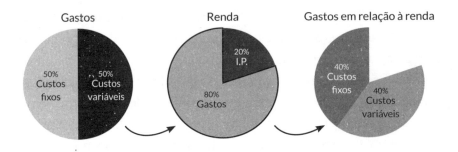

Num caso assim, a reserva de emergência de 6 vezes a renda equivale a 7,5 vezes dos gastos. E no caso de problemas financeiros graves, como a perda de emprego caso a filial de Rafaela feche, é possível zerar os custos variáveis, reduzindo os custos totais à metade. Isso proporcionará, no limite, uma reserva de emergência equivalente a 15 vezes os custos fixos. Serão 15 meses de subsistência garantida (caso não contassem com a renda do marido dela) sem qualquer risco de que esse capital esteja indisponível (como seria se eles tivessem decidido comprar um imóvel com o dinheiro guardado) ou sofra com oscilações de mercado tal como ocorre com outros investimentos. E sem necessidade de contrair qualquer endividamento!

Portanto, atente que o processo de transformação financeira passa obrigatoriamente pela construção da estabilidade com a montagem de uma reserva de emergência que equivalha a pelo menos 6 vezes sua renda em aplicações seguras e disponíveis. Esse é o primeiro passo para se tornar um investidor consistente.

Objetivos de consumo

Uma vez que você conquiste a reserva de emergência, é preciso que contemple a seguinte ideia: os investimentos são meios para alcançar determinados objetivos, e não um fim por si mesmos. Isso significa que você não deve investir apenas para ser rico, para alcançar R$ 1 milhão ou coisas do tipo. Normalmente não é a riqueza que desejamos. O que desejamos, você e eu, de verdade, são as coisas que imaginamos que a riqueza poderá nos proporcionar.

Para um jovem que gosta de surfar, talvez o desejo de ser rico seja uma forma de viabilizar uma vida viajando pelas praias mais paradisíacas do planeta com ondas adequadas para a prática do surf. Para quem gosta de carros, talvez a riqueza represente a oportunidade de adquirir o carro dos sonhos. Para quem adora receber amigos, talvez a riqueza seja um meio para adquirir uma casa ou apartamento aconchegante com espaço agradável. Já aquele que ainda não se encontrou no emprego talvez veja a riqueza como um meio de não mais ter que lidar com as pessoas e os problemas que hoje precisa enfrentar para receber o seu salário.

Como pode-se notar, a quantidade de dinheiro por si mesma não é exatamente um fim, mas um meio. Assim, é natural que você tenha, pelos mais diversos motivos, diferentes ideias para o seu caminho rumo à felicidade – e, em tese, o dinheiro pode se constituir num facilitador. Se você colocar o acúmulo de um montante de dinheiro como meta a ser alcançada, corre o sério risco de negligenciar a própria vida. Se o dinheiro se torna o protagonista, tudo que você fizer terá a motivação apenas de acumulá-lo, e as ideias prazerosas – como surfar, ter o carro dos sonhos ou comprar uma casa confortável – deixam de se tornar o objetivo e passam a ser obstáculos para o alcance da meta. Se você estipular uma meta de acumular R$ 1 milhão, então vai enxergar o gasto de R$ 50 mil numa viagem inesquecível para o exterior com a família como um obstáculo, o que francamente não faz o menor sentido se esse custo for corretamente planejado. Em tese, é possível medir a "fortuna" de um indivíduo pela quantidade de dinheiro que ele possui numa conta corrente, sem dúvida. Porém, mais ainda, é possível medir também pela quantidade e qualidade de experiências que ele pode realizar em vida.

Certamente é importante acumular recursos para ter uma vida tranquila e sem percalços financeiros, no entanto o caminho do meio (sempre ele) é justamente aquele que traz o equilíbrio entre a vivência proporcionada pelas experiências acumuladas e o crescimento patrimonial. Colocar apenas o crescimento patrimonial na meta não costuma fazer bem, nem ao desenvolvimento pessoal, espiritual nem tampouco ao próprio crescimento patrimonial.

Exatamente por isso é que ao colher os frutos do progresso financeiro, controlando as finanças e percorrendo o caminho de se tornar um investidor acumulador de ativos que geram renda passiva, você *deve* contemplar os projetos de consumo nas decisões de investimento. Caso não faça isso, vai ser muito difícil conter o impulso incontrolável de realizar alguma extravagância financeira assim que você notar que tem uma bela reserva de emergência e ficar tentado a utilizá-la, toda ou parcialmente. Não ter um objetivo de consumo elevará seu risco e diminuirá sua segurança porque, num encontro de desventuras, talvez chegue ao ponto de você se ver novamente na necessidade de fazer dívidas para fechar compromissos do dia a dia, botando tudo a perder.

Se, por outro lado, você construir sua blindagem por meio de uma excelente reserva de emergência e passar a acumular patrimônio apenas para a geração de renda passiva – portanto, com investimentos adequados para o longo prazo –, o efeito é outro: em vez de consumir a reserva de emergência para realizar tais gastos, pode se sentir tentado a consumir parte dos investimentos voltados para a formação de renda passiva e aposentadoria. Ocorre que muitos desses investimentos estão expostos a riscos de mercado, de maneira que o ideal é que se evite qualquer resgate antes do tempo inicialmente previsto. Fazer um resgate precipitado pode ameaçar o seu projeto de aposentadoria e independência financeira além de trazer prejuízos, já que investimentos de longo prazo são feitos para dar resultados realmente no longo prazo e não em prazos menores.

Justamente por isso se faz necessária a compreensão de que os objetivos de investimento devem ser divididos em 3 categorias:

1. **Objetivos de curto prazo:** Foco em segurança e estabilidade;
2. **Objetivos de médio prazo:** Foco em sonhos de consumo e estilo de vida;
3. **Objetivos de longo prazo:** Foco em aposentadoria.

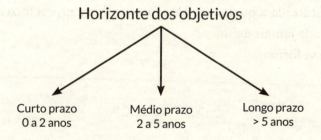

Os objetivos de curto prazo contemplam os recursos cuja finalidade é a utilização em até 2 anos ou que precisem ser utilizados a qualquer momento e, por isso, incluem a reserva de emergência. Os objetivos de médio prazo têm duração entre 2 e 5 anos. Já os objetivos de longo prazo são aqueles para se realizar daqui a mais de 5 anos, porém há que se observar o seguinte: a ideia do objetivo de longo prazo conceitualmente é a de não ter prazo. Em razão disso, outra forma de pensar nessa questão é classificar os recursos investidos de 2 maneiras:

- ▶ Recursos com prazo ou compromisso de uso;
- ▶ Recursos destinados a jamais serem utilizados antes de encerrada a fase de acumulação.

Na primeira categoria, estão incluídos os objetivos de curto e médio prazos e, na segunda, os investimentos de longo prazo. É possível concluir, portanto, que os objetivos de longo prazo estão associados preponderantemente à acumulação de patrimônio e, dessa forma, não há nenhum prazo para que sejam utilizados enquanto o período de acumulação não se encerrar.

A reserva de emergência faz parte dos objetivos de curto prazo, mas não porque a ideia seja utilizá-la em menos de 2 anos. Ela vai existir pela vida toda e, quando for usada (parcial ou totalmente), deverá ser recomposta de imediato. Montar a reserva de emergência é um objetivo de curto prazo simplesmente porque pode ser que você precise utilizá-la a qualquer momento, embora esperemos que essa necessidade jamais exista.

Dessa forma:

$$OCP = RE + CCP$$

em que:

OCP = objetivos de curto prazo

RE = reserva de emergência

CCP = consumo de curto prazo

Digamos que Téo, que é síndico profissional com um salário mensal de R$ 5 mil, tenha o objetivo de gastar R$ 40 mil com um carro em menos de 2 anos. A parcela de seu capital posicionada em objetivos de curto prazo adequado deveria ser de:

$$OCP = (5.000 \times 6) + 40.000$$
$$OCP = 30.000 + 40.000$$
$$OCP = 70.000$$

Via de regra seria mais adequado posicionar os objetivos de consumo nos investimentos de médio prazo. Aqui nos referimos aos objetivos que requeiram um pouco mais de recursos e que demandem um pouco mais de planejamento e tempo para a concretização. Podemos citar alguns como: um curso de um ano no exterior, uma casa, a faculdade dos filhos adolescentes, um carro novo e diversos outros que variam em função dos desejos individuais de cada um.

Para esses objetivos, os investimentos adequados devem ser pensados à luz de algumas questões. A primeira são os juros compostos. Como já desenvolvemos em capítulos anteriores, o efeito exponencial dos juros compostos requer tempo. E como agora estamos falando de objetivos a serem realizados em até 5 anos, o montante acumulado para esse consumo será determinado essencialmente pela capacidade de guardar dinheiro, pois o tempo não é suficiente para colher grandes frutos do efeito dos juros compostos. A segunda questão é quanto ao uso de investimentos de risco. Seria muito frustrante fazer um planejamento, guardar dinheiro com disciplina e, no momento de realizar o sonho, não poder fazê-lo porque os investimentos se desvalorizaram. Dessa forma, uma conduta adequada seria a seleção de investimentos de baixo risco. O mercado financeiro oferece opções de investimento de renda fixa no qual o investidor abre mão da liquidez para obter taxas melhores. Um CDB que tenha liquidez diária (que possa ser resgatado imediatamente a qualquer momento) tende a render menos do que um CDB similar que possua uma carência para resgate de 3 anos. Abrindo mão da liquidez, porém com relativa segurança, você pode melhorar o retorno de suas aplicações. Lembrando que só é possível abrir mão da liquidez porque existem os investimentos de curto prazo na carteira, incluindo a reserva de emergência, e que é dali que você vai retirar recursos em caso de imprevistos. É possível também avaliar a possibilidade de alguns produtos que podem buscar um pouco mais de retorno com algum nível de oscilação, tais como fundos multimercados de baixa volatilidade.

Alguns desses termos podem soar estranhos agora (fundos multimercados, volatilidade, liquidez), mas na medida em que você se torna investidor, o seu aprendizado sobre investimentos financeiros melhora sensivelmente e esse linguajar vai se tornando habitual. Não há motivos para pânico! Além disso, as plataformas de investimentos oferecem serviços de orientação a investidores. Convém compreender que esses serviços de atendimento têm atuação comercial, ou seja, a intenção deles é a venda de produtos. Por isso é importante que você também se dedique ao aprendizado individualmente sobre as modalidades de investimento de modo a melhorar cada vez mais a compreensão e evitar, assim, frustrar suas expectativas ou tomar decisões equivocadas. Em todo caso, é o tipo de "problema" que os investidores enfrentam – ou seja, se você tiver um deles, significa que a prosperidade já é uma realidade!

O desafio de escolher investimentos pode parecer complicado, mas na verdade não é. A maioria dos erros que os investidores cometem (se não a totalidade deles) é escolher investimentos com prazos inadequados para os objetivos em questão e não construir a carteira dividindo o capital, conforme já explicamos aqui. Uma vez que isso seja desvendado, investir será algo tão simples e trivial como fritar um ovo. Pode acreditar!

FORMAÇÃO DE PATRIMÔNIO

Agora que suas finanças estão estabilizadas com a montagem da reserva de emergência e que os objetivos de consumo estão mapeados e planejados, chegou a hora de você pensar no longo prazo. Podemos até dizer que é *aqui* que você realmente pode se considerar investidor de verdade. Benjamin Graham, o mentor de Warren Buffett, no livro *O investidor inteligente,* afirma que usar a expressão "investidor de longo prazo" é algo redundante na visão dele, já que todo investidor de verdade tem visão realmente de longo prazo. O raciocínio de Graham pode ser aplicado aqui, já que é exatamente agora que o seu eu-investidor será testado quanto à sua capacidade e disciplina de pensar no longo prazo e de buscar investimentos que possam proporcionar maior retorno, mas que sejam mais sofisticados e exijam mais conhecimentos.

Investir no longo prazo é formar patrimônio. A finalidade principal disso é custear uma aposentadoria confortável e, quem sabe, até deixar uma herança que adiante o caminho dos herdeiros. Investir no longo prazo é investir sem prazo, e, por isso, a escolha dos investimentos aqui pode se tornar mais desafiadora. No próprio mercado financeiro a variedade já se torna maior, incluindo títulos de renda fixa de emissão pública e privada, tais como os Títulos Tesouro IPCA+, que podem ter prazos de 30 anos, debêntures, CRI (certificados de recebíveis imobiliários), CRA (certificados de recebíveis do agronegócio), ações, fundos de ações, fundos multimercados e fundos imobiliários, só para citar os mais comuns. Além disso, os investimentos de longo prazo extrapolam o mercado financeiro, incluindo as diversas modalidades de invesgócios, a participação em empreendimentos e até mesmo a aquisição de imóveis.

É aqui na parcela de longo prazo que você será realmente desafiado como investidor e será levado a aprofundar seus conhecimentos sobre o mercado financeiro, negócios e cenários econômicos. Não é obrigatório, no entanto, que muito tempo seja dedicado aqui. Existem, sim, estratégias mais simplificadas com bom potencial de retorno no longo prazo, porém o desafio de distinguir quais são as possibilidades é que requer alguma dedicação e estudo.

Por outro lado, são justamente os investimentos de longo prazo que apresentam maior potencial de retorno e que estão diretamente associados à construção patrimonial, então um pouco de dedicação aqui pode recompensar – e muito! Além disso, é exatamente aqui que o efeito dos juros compostos e os retornos exponenciais acontecem, e trazem frutos grandiosos.

Mas se são os investimentos de longo prazo os que proporcionam todo esse benefício, por que você deve primeiro fazer os de curto prazo e depois os de médio prazo? Boa pergunta! Justamente porque ao montar uma reserva de emergência você cria a blindagem. O mesmo acontece com os objetivos de médio prazo. Essa blindagem atua em seus 2 lados:

1. Proteção das finanças pessoais;
2. Proteção dos investimentos de longo prazo.

Mencionamos neste capítulo a situação de Rafaela e seu marido, Leo, com 20% de índice de poupança e custos totais divididos em 50% para custos fixos e 50% para custos variáveis. Mencionamos como uma reserva de emergência de 6 vezes a renda produziria uma proteção de 7,5 meses, mantendo o mesmo custo de vida, e de 15 meses caso eles restringissem rapidamente os custos variáveis e mantivessem apenas os fixos. Agora imaginemos que, além disso, o casal tivesse mais um capital para um objetivo de médio prazo – R$ 50 mil para custear a faculdade do filho adolescente – e em torno de R$ 150 mil nos investimentos de longo prazo, visando a aposentadoria estimada em R$ 1 milhão.

Nesse cenário, a reserva de emergência criaria uma blindagem de 15 meses para que fosse possível manter tanto o plano de médio prazo arcando com os custos dos estudos do filho e também mantendo intocado o plano de aposentadoria. O que aconteceria se não houvesse reserva de emergência? O casal teria que tirar dinheiro do plano de aposentadoria ou mesmo da educação do filho. E se naquele momento de mercado as ações tivessem uma desvalorização de 50% em função de algum período de crise? É fácil concluir que os planos deles estariam seriamente comprometidos.

É por isso que a existência dos investimentos de curto e médio prazo são essenciais tanto para a blindagem das finanças e concretização dos planos quanto para a blindagem dos próprios investimentos de longo prazo. Então, antes de partir para o ataque, como já foi dito, é preciso ter uma boa defesa, que no seu caso é o escudo para os planos.

Uma situação ainda pior seria se o casal ficasse desempregado por mais de 15 meses e tivesse que usar toda a reserva de emergência e ainda recursos dos planos. Sim, isso é possível e existem casos reais assim. Porém, existe um abismo entre o desespero causado pelo desemprego sem planejamento financeiro e a tranquilidade de ter tempo para se readequar à nova realidade. Numa situação planejada, o impacto financeiro e emocional é amortecido e não existem preocupações com as contas no curto prazo nem a destruição de planos e queima do dinheiro da aposentadoria. Muito menos a preocupação de ter que se desfazer dos investimentos em momentos desfavoráveis, amargando prejuízos. O foco seria unicamente se recolocar profissionalmente, pois a sobrevivência, a princípio, não estaria ameaçada.

Resumo do capítulo:

- O primeiro passo do investimento é estabilizar as finanças.
- A estabilização das finanças é obtida com a construção da reserva de emergência.
- O investidor deve organizar a divisão dos objetivos em categorias de curto, médio e longo prazo.
- O investimento em longo prazo é o que pode proporcionar maior retorno potencial.
- Os investimentos de curto e médio prazo blindam as finanças e também os investimentos de longo prazo.
- Alocação de investimentos é o trabalho de distribuir o capital entre diferentes aplicações para produzir resultados eficientes.

Mais de 90% da rentabilidade de uma carteira de investimentos vem da alocação e não dos produtos individualmente.

Capítulo 14

SEGURANÇA FINANCEIRA COM A RESERVA DE EMERGÊNCIA

O tema reserva de emergência é um dos principais – se não o principal – gatilho para a liberdade financeira, por isso merece um capítulo dedicado. Os benefícios associados a ter uma reserva de emergência são tão abstratos (afinal, nunca sabemos *se* haverá uma emergência nem quando, qual será e quanto vai custar) que o mais comum é que aqueles que querem estudar e se desenvolver nas finanças acabem negligenciando essa reserva, seduzidos pela busca imediata pelos investimentos de longo prazo e, portanto, com maior potencial de retorno.

Há diversos aspectos comportamentais que podem explicar a negligência com que normalmente é tratada a reserva de emergência, sendo um deles o excesso de confiança. Tendemos a ser mais otimistas quanto ao futuro e quanto à nossa própria capacidade de influenciar o nosso entorno do que a realidade mostra.

Em pesquisas realizadas e relatadas por Daniel Kahneman e Richard H. Thaler – ambos prêmio Nobel em economia – nos respectivos livros *Rápido e devagar – Duas formas de pensar* e *Misbehaving*

– *A construção da economia comportamental*, pessoas foram questionadas como se avaliavam como motoristas e o resultado foi: por volta de 90% responderam que se consideravam "um motorista melhor do que a média". Obviamente esse resultado não é coerente com a realidade. Não é possível que 90% das pessoas estejam acima da média. Esse é apenas um dos exemplos de pesquisas relacionadas à economia comportamental.

Situações assim interferem na nossa capacidade de avaliação em decisões financeiras grandes e pequenas, do dia a dia, e a reserva de emergência frequentemente sofre tais questionamentos. Durante o período de 2016 e 2019, a Bolsa de Valores no Brasil apresentou 4 anos de resultados expressivos, atraindo o interesse de investidores novatos. Num dado momento, começaram questionamentos nos diversos fóruns de finanças na internet sobre a necessidade ou não de se ter uma reserva de emergência já que, como vimos anteriormente, a rentabilidade desse capital gira em torno da Taxa Selic, que naquele período foi muito menor do que os rendimentos da Bolsa. Os ganhos obtidos num passado recente levavam novatos a concluir que a Bolsa renderia da mesma forma indefinidamente. Embora houvesse alertas, sobretudo vindos de pessoas mais experientes nos investimentos financeiros, tais avisos não eram tão sedutores quanto os ganhos exuberantes experimentados com as ações e celebrados por toda a comunidade financeira. A "velha guarda" foi carimbada algumas vezes como "ultrapassada" pelo público iniciante.

A ansiedade em obter melhor retorno para o capital, sem maiores reflexões, levou multidões a negligenciar suas reservas de emergência e partir direto para o investimento de ações. Só que em março de 2020 a Bolsa brasileira sofreu um duro golpe com a pandemia do coronavírus, e quem foi diretamente afetado com desemprego ou não estava realmente investindo para o longo prazo amargou perto de 50%

de prejuízos com relação ao início do ano – e, para piorar, por falta de planejamento, teve que efetuar os resgates nessas condições. Já quem manteve os pés no chão, ancorado na reserva de emergência, até viu suas ações desabarem, mas nada que afetasse seu dia a dia, já que a sobrevivência não estava ameaçada nem os planos traçados e materializados nos investimentos de curto e médio prazo. Tanto a blindagem da situação financeira particular quanto a dos investimentos de longo prazo funcionaram perfeitamente, já que não havia nenhuma necessidade de resgatá-los em condições adversas. Bastava não agir na "fumaça do tiro", ter paciência e aguardar pela recuperação dos preços dos ativos. Muitos inclusive, bem preparados, aproveitaram para investir mais dinheiro no longo prazo aproveitando-se das pechinchas que eram encontradas na Bolsa de Valores.

DIVISORES DE ÁGUAS NAS FINANÇAS

Durante o processo de desenvolvimento financeiro pessoal existem alguns momentos que são divisores de águas. Há quem pense no objetivo de alcançar R$ 1 milhão ou no alcance da independência financeira, porém existem 2 momentos na trajetória que de fato são os mais transformadores.

O primeiro momento de virada é quando você resolve as questões básicas de orçamento e reduz drasticamente as dívidas, gerando fluxo livre de dinheiro. Quando isso ocorre, a situação muda, pois você precisa lidar com uma nova realidade que é a de decidir o que fazer com esse dinheiro disponível em vez de meramente trabalhar o mês inteiro apenas para cobrir suas despesas. Além disso, você potencialmente ingressa na condição de superavitário financeiro, estando apto, portanto, a iniciar o processo de formação de patrimônio. A eliminação das dívidas e o ajuste inicial do orçamento constituem, portanto, a primeira grande virada financeira.

O segundo momento é a formação da reserva de emergência. Quando a fase das dívidas é superada, os riscos diminuem considaravelmente, porém você ainda não desfruta de grande segurança, tendo ainda que tomar decisões com muita atenção ao orçamento e ao comportamento. Por outro lado, quando a reserva de emergência é concluída, com pelo menos 6 vezes a sua renda, um outro degrau importante é superado. O foco financeiro deixa de ser pagar as contas do mês corrente. Sabe-se claramente que as contas estão organizadas e que eventuais impactos de pequenos erros não serão sentidos no mês atual, mas apenas em 6 meses, porque até lá você tem dinheiro suficiente para que tudo seja honrado sem qualquer risco para a subsistência. Nesse momento, seu olhar muda. Você começa a colocar seus sonhos na mesa para realizá-los, assim como abre as portas para a formação de patrimônio de longo prazo e geração de renda passiva. A relação com as finanças se torna muito positiva e o dinheiro deixa de ser o senhor das decisões: passa a ser um acessório, uma ferramenta útil para que o desenvolvimento pessoal ocorra. Sem a pressão de lidar com dívidas e preocupação com a fatura do cartão do mês seguinte, é possível inclusive dedicar-se melhor ao desenvolvimento profissional e ao trabalho, aumentando o foco e a capacidade de entregar o seu melhor.

Em paralelo a essa nova realidade, outras questões emergem: "Eu gosto do que faço?", "Quais são meus objetivos de fato?", "Que competências eu preciso desenvolver para evoluir profissionalmente?", "O que poderia fazer de surpreendente para o meu cônjuge em seu aniversário?". Trata-se de uma nova realidade em que você pode olhar para si mesmo, buscando o próprio desenvolvimento não apenas profissional, mas também pessoal. Pode ser que uma das respostas seja mudar de carreira – e, se for, é possível planejar. Você agora pode colocar um curso de línguas ou de culinária entre as prioridades. É de fato transformador. Ao receber uma nova oferta de trabalho, terá a chance de avaliar se essa oferta o agrada não apenas financeiramente, mas também quanto ao próprio modelo de trabalho e com relação às pessoas envolvidas. É o início da sua liberdade financeira!

INDEPENDÊNCIA FINANCEIRA × LIBERDADE FINANCEIRA

Em todo material de finanças costuma-se atribuir muita importância ao conceito de independência financeira que já exploramos aqui no livro. É aquele momento em que o índice de riqueza atinge 100% e a renda passiva proveniente dos ativos é suficiente para custear a sobrevivência em níveis confortáveis, eliminado a dependência do trabalho.

Só que para a maioria das pessoas essa meta é muito distante, especialmente quando se está no início da trajetória e / ou ainda com dívidas. E, tal como o coelho que não consegue enxergar nem sentir o cheiro de uma cenoura que foi colocada muito distante, a motivação pode não ser suficiente para a melhoria gradativa no passo a passo que abordamos nos capítulos deste livro.

Considerando que a ideia de "ser rico" não está associada a um determinado montante de dinheiro, mas sim à possibilidade de realizar seus desejos, então podemos considerar que é plenamente possível atingir liberdade financeira bem antes de atingir a independência financeira propriamente dita. Separando os conceitos, temos então que:

▶ **Independência financeira:** A capacidade de gerar renda passiva suficiente para custear a sobrevivência com conforto sem depender da renda do trabalho.

224 Finanças na vida real

> **Liberdade financeira:** A capacidade de fazer escolhas e viver um estilo de vida alinhado com os desejos pessoais.

Outra forma de encarar esses mesmos conceitos é retirando a palavra "financeira" das expressões. Na verdade, não ambicionamos alcançar a independência financeira *ou* a liberdade financeira. Ambicionamos a independência *e* a liberdade. Usamos a palavra financeira por supor que as finanças são a via pelas quais precisaremos trafegar para isso.

Outro aspecto interessante tem a ver com eliminar a dependência do trabalho. Será mesmo que, ao atingir determinado montante financeiro, seria saudável não realizar mais nenhuma atividade de trabalho? Não enxergue o trabalho como um castigo, pois ele é uma necessidade humana no caminho do autodesenvolvimento. Talvez o que aflija você e cause ojeriza em grande parte das relações com o trabalho não seja o ato de trabalhar, mas sim o fato de que você não encontrou ainda a sua vocação. Há indivíduos que trabalham felizes e outros, decepcionados, ambos numa mesma profissão. Há indivíduos que esbanjam simpatia ainda que exerçam uma atividade relativamente "simples" nos parâmetros da sociedade. O que se observa nessas pessoas é que elas trabalham com amor, com dedicação e com senso de responsabilidade em dar o melhor de si mesmas. Será que todas levantam cedo da cama para trabalhar unicamente com o objetivo de obter dinheiro? Será que não sentem orgulho nem prazer em suas realizações e na superação dos desafios diários?

Outra dica sobre essa questão é observar os homens mais ricos do mundo. Bill Gates (fundador da Microsoft), Warren Buffett (megainvestidor), Jeff Bezos (fundador da Amazon) e vários outros continuam trabalhando. Alguém em sã consciência poderia achar que esses multibilionários trabalham por dinheiro? Quando um pesquisador é nomeado vencedor do Prêmio Nobel em sua área de pesquisa, o que ele faz? Certamente ele fica feliz em ver o seu trabalho e a sua dedicação reconhecidos, comemora, mas, no dia seguinte, volta para seus estudos. E por que ele faz isso já tendo alcançado o ápice da carreira? Simples: porque esse é o seu ofício, sua missão de vida, sua vocação. Essas constatações tornam evidente que a motivação para alcançar a independência financeira não deveria estar relacionada ao fim do trabalho, mas sim à possibilidade de ir ao encontro da sua própria vocação.

Ainda uma questão importante é a seguinte: qual montante é necessário acumular para viver de renda? Vamos ver o caso de Ana e Maíra, casadas, ambas professoras: Ana dirige uma creche bilíngue e Maíra atua em escolinhas de esportes de alto rendimento. As 2 adoram crianças e adotaram 2 filhos. Os custos mensais da família ficam em torno de R$ 10 mil. Digamos que as aplicações financeiras rendam em torno de 0,5% ao mês, nesse exemplo seriam necessários R$ 2 milhões para gerar os R$ 10 mil. Porém, o natural é que uma vez que a qualidade de vida melhore, elas acabem estabelecendo padrões mais elevados. Assim, talvez o custo de R$ 10 mil já não seja visto como suficiente e suba para R$ 15 mil, já que elas adoram viajar nos fins de semana. Daí seria necessário acumular R$ 3 milhões em vez de R$ 2 milhões. E assim sucessivamente, porque querer melhorar as próprias condições de vida é legítimo. Isso mostra que *ter renda passiva suficiente para custear um nível de vida confortável* cria uma resposta bem elástica.

Diante desse dilema, a conquista da independência torna-se abstrata e pode requerer que você faça reflexões mais profundas sobre si próprio. Embora um dos benefícios da independência seja a própria liberdade, a liberdade pode ser obtida com bem menos recursos do que a independência. Se a liberdade é:

- A possibilidade de escolher o que fazer, escolher onde trabalhar e com quem trabalhar;
- Fazer planos e realizá-los sem se preocupar com as contas do mês seguinte;
- Dedicar-se mais profundamente aos assuntos do próprio interesse, tendo a plena segurança de que não há ameaças à sobrevivência nem às necessidades mais elementares.

Então podemos concluir que a liberdade financeira começa a ser alcançada justamente com a formação da reserva de emergência, pois é isso tudo que ela proporciona. Além disso, a reserva de emergência permite começar a pensar no longo prazo, e o dia a dia passa a ser moldado também de acordo com os próprios interesses.

CONSTRUINDO A LIBERDADE FINANCEIRA EM APENAS 2 ANOS

Partindo da ideia de que a liberdade financeira começa a se materializar pela reserva de emergência, note que sua construção não é tão demorada quanto se pode imaginar – ao contrário da independência financeira, que pode levar décadas de acumulação de capital.

Tomando por base o percentual desejável de 20% de índice de poupança, temos a seguinte situação:

- Renda mensal (líquida): R$ 5 mil
- Índice de poupança: R$ 1 mil (20%)
- Custos totais: R$ 4 mil (80%)
  - Custos fixos: R$ 2 mil
  - Custos variáveis: R$ 2 mil

Acumulando 20% mensalmente, é possível em 4 meses obter o equivalente a 1 vez os custos totais. Ou seja: juntando R$ 1 mil por mês, em 4 meses tem-se R$ 4 mil, que é o equivalente ao custo de 1 mês de sobrevivência no mesmo nível de vida. Como 1 ano compreende 3 quadrimestres, é possível acumular R$ 12 mil/ano, o que equivale a 3 vezes o custo de vida. Fazendo isso por mais 1 ano, tem-se R$ 24 mil, o que equivale a 6 vezes os custos mensais.

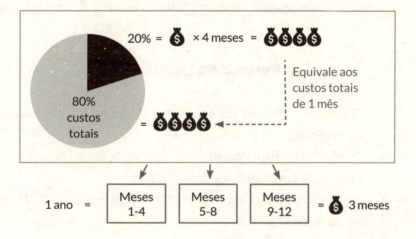

Considerando o uso de 2 vezes o 13º salário para acumulação, teríamos mais R$ 10 mil, totalizando R$ 34 mil. Porém, talvez não seja necessário usar todo o 13º. Reservando parte para gastos com lazer, presentes, entre outros, digamos que nos 2 anos esses gastos sejam de R$ 4 mil. Pronto. Temos R$ 30 mil, que correspondem a 6x a renda – ou seja, a reserva de emergência está montada. A partir desse momento, você poderá começar a usufruir de liberdade de escolhas de todos os tipos, sem preocupações imediatas com dinheiro e muito conforto.

Vale observar que a simulação foi feita com algumas flexibilizações quanto ao uso do 13º ou não. O processo poderia ser um pouco mais rápido ou um pouco mais demorado caso se optasse por gastar 100% do 13º salário em vez de poupá-lo. Nesse caso, em vez de ter R$ 30 mil, teríamos R$ 24 mil. Os R$ 30 mil da reserva de emergência seriam concluídos em mais 6 meses, ou seja, no total de 30 meses, enfim equilibrando tranquilamente consumo e qualidade de vida.

A mensagem aqui é que vivenciar a liberdade financeira e todos os seus benefícios não é algo demorado. Está próximo, é logo ali e será materializado quando você concluir sua reserva de emergência.

Resumo do capítulo:

- ► O primeiro divisor de águas das finanças é a eliminação das dívidas.
- ► O segundo divisor de águas é a reserva de emergência.
- ► Liberdade é a grande meta das finanças.
- ► A liberdade começa a ser percebida com a conclusão da reserva de emergência.

> Começar a usufruir de liberdade financeira não é demorado nem difícil. É preciso apenas começar e confiar no processo.

Capítulo 15

COMO INVESTIR PARA
REALIZAR SEUS SONHOS

Existe muita confusão na hora de escolher investimentos. No geral, investidores iniciantes tendem a ser absorvidos pelas infinitas informações produzidas pelo mercado financeiro, que vão dos sites especializados, passando pelo noticiário político e econômico nacional até o internacional. Tal comportamento produz a sensação de estar bem-informado diante das infindas variáveis que envolvem a economia e que causam impacto no desempenho dos investimentos.

No entanto, existe uma expectativa equivocada aqui, e ela refere-se à capacidade de prever o futuro. Não importa o quanto informado um investidor esteja, ele jamais será capaz de antecipar o futuro. A vidência não é possível para nenhum analista financeiro. Muitos investidores novatos fazem comparações indevidas do tipo: "Se um médico não souber o que vai acontecer na mesa de operações, não é um bom profissional. Então como um analista financeiro não sabe o que vai acontecer nos mercados?", ou então "Se um engenheiro não souber como o concreto se comporta quando sujeito a determinados tipos de carga, um prédio pode cair. Como um analista financeiro não sabe como o mercado vai se comportar?". É compreensível que essa expectativa exista. No entanto, os mercados financeiros respondem a todas as relações econômicas do planeta, tornando infinitas as variáveis e sendo impossível isolar os elementos tais como nos exemplos do médico ou do engenheiro.

A melhor maneira de ilustrar tal situação é pensar no que acontece quando você envia uma simples mensagem para um amigo: "Oi, Fulano, tudo bem? Vamos almoçar amanhã?" e o amigo responde: "Olá! Muito obrigado pelo convite, mas eu não posso confirmar com certeza porque talvez eu tenha uma reunião por volta das 13h, e meu horário será muito apertado". Esse tipo de situação acontece todos os dias e, se é impossível garantir a possibilidade de um almoço apenas entre 2 pessoas, como esperar de alguém a capacidade de antever todas as relações e seus resultados desdobrados em lucros das empresas, pressões inflacionárias, movimento de taxas de juros, pandemias, desastres naturais, concorrência e o comportamento humano, tudo isso agindo ao mesmo tempo? Simplesmente não é possível. Assim, se sairá melhor o investidor que tiver clareza desta verdade: não é possível adivinhar o que vai acontecer na economia e nos mercados financeiros. A adoção e o entendimento dessa realidade como premissa básica para tomada de decisão, em vez de gerar incerteza ao investidor, oferece poder e alivia a pressão. Sabendo que não pode dominar as variáveis nem as antever, investidores passam a decidir entendendo que seu trabalho é o de gerenciar riscos muito mais do que qualquer outra coisa. Ser realista é a primeira característica de um investidor de sucesso.

Porém, tal realidade nua e crua não diminui a importância do trabalho dos analistas financeiros e requer que se entenda com clareza o que realmente eles fazem. Quando análises financeiras são feitas, a única certeza que se tem é a de que elas estão erradas. E se estiverem certas também não será possível determinar se são fruto de uma capacidade diferenciada ou meramente da sorte. Aliás, a sorte é um grande inimigo do investidor, pois quando as coisas caminham conforme suas "previsões" a tendência natural é que atribuam a si mesmos uma supercapacidade inexistente.

Mas voltando às análises: uma análise é realizada sempre com as informações que estão disponíveis no presente momento, para o futuro. Se no dia 1º de janeiro um analista faz projeções para o final do ano, ele apenas tem como considerar as informações que estão disponíveis no início do ano. No entanto, no dia seguinte novos eventos acontecem, e as análises perdem sua validade, todas elas são reajustadas, e assim sucessivamente. E os dias vão passando e mais novas informações, guerras, conflitos comerciais, proliferação de doenças, resultados de eleições e geadas interferindo na produção de alimentos se acumulam, e assim a análise feita no dia 1º torna-se completamente obsoleta. E no final do ano o resultado é totalmente diferente. O analista errou na análise? Provavelmente não, porém foram tantas novas informações que a análise teve que ser ajustada 365 vezes, ou seja, a cada dia. A análise do último dia será completamente diferente da análise do primeiro dia justamente pela inclusão massiva de novas informações chegando a cada segundo.

CORRIDA DE CAVALOS E INVESTIMENTOS

O vício causado no investidor iniciante com relação ao excesso de informações faz com que a busca por investimentos se torne similar a apostas em corridas de cavalo – em especial quando o apostador não entende nada sobre cavalos. Resumidamente, imagina-se um determinado período de, digamos, 1 ano, que equivale ao trajeto da corrida. Cada cavalo é um determinado investimento. E será bem-sucedido aquele que colocar suas fichas no cavalo vencedor e chegar ao final do trajeto (1 ano) obtendo o melhor desempenho. E assim um novo ano se inicia sempre com as mesmas ideias na cabeça: reunir todas as informações possíveis disponíveis na mídia especializada para escolher o cavalo que será o vencedor naquele determinado período. Tal raciocínio é endossado pela mídia, sobretudo quando são divulgados os rankings das aplicações que mais renderam num determinado período. A busca é incessante e, para tornar a situação ainda mais dramática, nada garante que um investidor que queira escolher seu cavalo a cada ano baseado apenas num sorteio ou no dado, sem consumir nenhum tipo de informação – ou seja, sem nunca sequer abrir um site de notícias financeiras –, não possa sair vencedor desse desafio.

Mas o que está errado nesse processo de decisão? Simplesmente o fato de que os investimentos financeiros não são nadadores competindo numa mesma prova de 50 metros livre. Cada investimento tem características específicas que costumam ser negligenciadas no processo de escolha. A negligência está justo na falta de compreensão de que investimentos não "competem" todos na mesma pista / raia ao mesmo tempo. No paralelo com a natação, seria como se colocassem na mesma prova nadadores de 50 metros livre, nadadores de 1.500 metros livre, nadadores de 200 metros borboleta e também os de 100 metros costas.

Investimentos são como remédios, caso você queira pensar em outro exemplo. Ninguém chega numa farmácia e pergunta: "Quero comprar o melhor remédio que você tem". Isso simplesmente não funciona porque remédios são feitos com princípios ativos diferentes para ajudar na cura de diferentes doenças. Ou seja, um remédio pode ser receitado por um médico apenas de acordo com a necessidade específica de um paciente. Não existe o "melhor remédio", assim como não existe o melhor investimento. Mas pode existir o "melhor remédio" para cada situação. Com investimentos é do mesmíssimo jeito. Cada investimento tem suas características, seus fatores de risco, seus prazos de maturação e atendem a determinadas necessidades. Portanto, o melhor investimento não deve ser apenas aquele que possa render mais num determinado período – o que já vimos ser impossível prever –, mas sim aquele que atenda às necessidades de cada investidor de acordo com seu momento de vida. Cada investimento serve para um propósito.

E como o analista pode então avaliar as situações particulares de cada indivíduo e informar os melhores investimentos? Não pode. Simplesmente porque ele analisa fatos relacionados aos próprios produtos e ao cenário econômico. Ele não avalia absolutamente nada do que diz respeito ao indivíduo, e por isso as análises devem ser utilizadas com ressalvas. E a ressalva é: "Tais recomendações servem para a minha realidade?" Por isso é preciso ter clareza de que as análises das ações mais quentes do momento, as dicas dos melhores investimentos e os cenários econômicos não podem responder isoladamente pela tomada de decisão de um investidor experiente (embora normalmente respondam pela tomada de decisão de investidores iniciantes). Para que exista um investimento é necessário olhar, sim, para o lado dos produtos financeiros, mas é necessário também olhar para o lado do indivíduo que está investindo. O casamento entre as características corretas dos produtos e as necessidades do indivíduo é o que farão uma decisão ser acertada e consciente.

Iniciantes têm muita dificuldade em compreender que a busca pelo produto de melhor rentabilidade não é o mais importante. Mas isso é fruto exclusivamente de sua falta de vivência. Existe

234 Finanças na vida real

um caso emblemático na indústria de investimentos relacionado ao estudo do desempenho de investidores aplicando em fundos de ações. Um desses casos refere-se ao fundo Fidelity Magellan, gerido pelo celebrado gestor de fundos Peter Lynch, que obteve o impressionante desempenho de 29,2% de rentabilidade média anual no período entre 1977 e 1990. Porém, ao se verificar o desempenho médio dos investidores que haviam aplicado no mesmo fundo dentro do mesmo período, observou-se que sua rentabilidade tinha sido esmagadoramente inferior. Tal fenômeno ocorreu porque os investidores com seus vieses comportamentais aumentavam seus investimentos após períodos de desempenho elevado do fundo e os reduziam quando o fundo apresentava períodos de desempenho inferior, sempre se orientando pela rentabilidade recente apresentada e ignorando a máxima de que "rentabilidade passada não é garantia de rentabilidade futura". Ou seja, sempre investiam quando os ativos estavam muito valorizados e desinvestiam quando estavam subvalorizados, o que é justamente o contrário do ideal. Resumindo: compravam sempre a preços elevados e vendiam a preços baixos. Repare que investidores, mesmo quando encontram boas opções de investimento, são levados a não capturar o melhor deles, pois o comportamento equivocado se encarrega de atrapalhar. Isso mostra que, mesmo que fosse possível a um investidor encontrar o suposto melhor investimento do período, isso não bastaria, porque ele teria ainda que manter um comportamento adequado para retê-lo durante o período necessário para que os bons resultados fossem capturados. Sem considerar que durante o processo não se tem certeza de qual será o resultado, o que torna tudo ainda mais simplista numa análise em retrospectiva. No final das contas, aqueles investidores que permaneceram por todo o período no fundo foram os que realmente conseguiram capturar os maiores ganhos, ou seja, aqueles que realmente estavam fazendo investimento de longo prazo.

Num outro exemplo, poderíamos apresentar uma determinada ação hipotética que apresentou retorno de 200% em 5 anos e que esse tenha sido o melhor retorno do período. Porém, quando uma rentabilidade assim é apresentada, o investidor mentalmente incorpora o raciocínio de que a ação subiu dia após dia até alcançar os 200% de rentabilidade. Fazendo uma conta de juros compostos, o iniciante é levado a concluir que a ação rendeu 200% em 5 anos com uma rentabilidade anual ao redor de 24,50%, o que seria excelente. Olhando em retrospectiva poderia ter sido uma bela decisão, porém a realidade não foi bem essa.

Essa ação custava R$ 10. Ao final do primeiro ano, ela teve uma queda de 20%, fechando o ano custando R$ 8. No ano seguinte, uma nova queda de 12,5% levou as ações a R$ 7. No terceiro ano, os resultados começaram a aparecer e as ações valorizaram pouco mais de 71%, chegando ao valor de R$ 12. No quarto ano, mais 50% de rentabilidade levaram as ações a R$ 18, e no quinto e último ano analisado mais uma alta expressiva de 66,67% levou o preço dessas ações a R$ 30. Ou seja: saindo de R$ 10 para R$ 30 em 5 anos, temos uma valorização de 200%. Inegavelmente, se essa tivesse sido uma aposta na corrida de cavalos, teria sido vencedora.

Mas isso não daria certo nas finanças. Imagine o investidor A que aplicou, no início, um capital que pretendia resgatar após 2 anos. Como você reparou, nos primeiros dois anos as ações saíram de R$ 10 para R$ 7, o que representa uma queda de 30%. Uma aplicação de R$ 10 mil reduziu para apenas R$ 7 mil ao final do período. É possível concluir que esse investimento realmente tinha um belo potencial de valorização e o investidor estava até correto na sua escolha. Porém, o prazo de retorno se materializou após o prazo do objetivo do próprio investidor. Isso mostra que buscar um investimento baseado apenas em seu potencial de retorno pode levar a erros dessa natureza. A escolha estava certa, mas as necessidades do investidor impediram que ele obtivesse o resultado desejado.

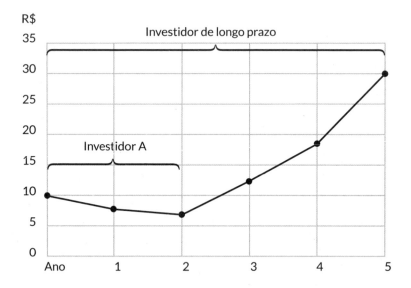

Não escolha, portanto, seus investimentos baseado somente em suas perspectivas de retorno, mas principalmente pela adequação das características às suas necessidades pessoais. Se não fosse assim, todos os investidores deveriam ter os mesmos investimentos, já que o único fator em jogo seria a busca pela rentabilidade. Mas não é assim. É por isso que a escolha precisa ser personalizada para cada indivíduo, e isso só é possível colocando as motivações individuais no centro da decisão.

O TRIPÉ DOS INVESTIMENTOS

Outro importante aspecto na decisão de investimentos refere-se às suas características intrínsecas relacionadas a 3 elementos, detalhados a seguir:

- **Segurança:** Refere-se ao risco de desvalorização do capital investido e à possibilidade concreta de resgatar menos do que investiu.
- **Liquidez:** Refere-se à velocidade com que um investimento pode ser convertido em dinheiro para uso imediato.
- **Retorno:** Refere-se à taxa de rentabilidade de determinado investimento.

O tripé mostra que quando você escolhe determinado investimento, qualquer que seja ele, precisa compreender suas características intrínsecas segundo esses 3 critérios. Na prática, não existe um investimento que seja capaz de entregar os 3 simultaneamente, ou seja, não existe um investimento plenamente seguro, com alta liquidez e que ainda proporcione alta rentabilidade. O dilema da escolha de investimentos sempre se resumirá às preferências de cada investidor com relação a esses 3 fatores. Embora não se possa obter tudo num único investimento, é possível obter um balanceamento das 3 características ao se escolher uma carteira diversificada de investimentos. Ou seja: vários investimentos combinados podem entregar, em conjunto e de maneira balanceada, o combo segurança + liquidez + retorno.

Isso significa que antes de fazer qualquer investimento você deve ter clareza de como se posiciona frente a essas 3 características, pois isso trará consciência para a decisão. Para fazer a seleção de um determinado investimento, você terá que responder à seguinte questão:

1. Entre segurança, rentabilidade e liquidez, qual é o mais importante para esse capital?

E, depois de responder a essa primeira pergunta, deverá responder à seguinte:

2. Qual é o segundo item mais importante para esse capital?

Feito esse exercício básico, ficam as seguintes possibilidades de combinações:

Combinação 1:

▶ Prioridade: segurança + liquidez
▶ Abre-se mão da: rentabilidade

Combinação 2:

▶ Prioridade: segurança + rentabilidade
▶ Abre-se mão da: liquidez

Combinação 3:

▶ Prioridade: liquidez + rentabilidade
▶ Abre-se mão da: segurança

Assim, qualquer investimento que você escolha precisa ser enquadrado numa dessas 3 combinações. Esse enquadramento permite ao investidor calibrar suas expectativas sem ilusões quanto aos resultados possíveis.

A reserva de emergência, por exemplo, deve ser feita com investimentos posicionados na combinação 1 (segurança e liquidez). Os investimentos de médio prazo podem estar preponderantemente posicionados na combinação 2 (segurança e retorno) e os investimentos de longo prazo podem conter um mix entre as combinações 2 (segurança e retorno) e 3 (retorno e liquidez).

HORIZONTE DOS INVESTIMENTOS

No Capítulo 13, separamos os objetivos em curto, médio e longo prazo para que você tenha uma primeira noção de como planejar seus investimentos. Quando compreender seus objetivos e os respectivos prazos e, paralelamente, compreender os investimentos e seus respectivos horizontes, vai ser possível facilmente encaixar a escolha dos investimentos adequados para os prazos dos objetivos pessoais de maneira personalizada.

Horizonte de investimento refere-se ao prazo durante o qual se deseja investir, o tempo necessário para que determinado investimento alcance sua maturidade. Talvez agora você esteja com uma certa dúvida sobre a diferença entre horizonte e liquidez. A liquidez é a velocidade com que um investimento pode ser convertido em dinheiro para uso; já o horizonte, como dito, é o prazo para um investimento alcançar a maturidade.

Podemos separar também os investimentos, e não apenas os objetivos, em horizontes de curto, médio e longo prazo, ou seja:

investimentos adequados para prazos de até 2 anos, investimentos adequados para prazos entre 2 e 5 anos e investimentos para prazos acima de 5 anos. E como identificar o horizonte? Basta fazer as seguintes perguntas:

1. Esse é um investimento de renda fixa?

Se a resposta for *sim*, então vá para a pergunta 2.
Se a resposta for *não*, então vá para a pergunta 3.

2. Esse investimento pode ser resgatado a qualquer momento sem risco de prejuízo?

Se a resposta for *sim*, então esse é um investimento com horizonte de curto prazo
Se a resposta for *não*, então o horizonte desse investimento corresponde à sua data de vencimento, que é a data em que ele é concluído.

3. Qual é o tempo mínimo que eu deveria considerar para fazer qualquer avaliação sobre esse investimento?

Essa resposta será o horizonte de um investimento que não seja de renda fixa.

▶ **Exemplo 1: título Tesouro Selic**

Respondendo à primeira pergunta, verificamos que a resposta é *sim*. Respondendo à segunda pergunta, verificamos que a resposta também é *sim*. Dessa maneira, o horizonte do investimento é de curto prazo.

► Exemplo 2: CDB com vencimento e carência em 3 anos

Respondendo à primeira pergunta, verificamos que a resposta é *sim*. Respondendo à segunda pergunta, verificamos que a resposta é *não*. Dessa maneira, o horizonte desse investimento é de 3 anos, ou seja, de médio prazo.

► Exemplo 3: título Tesouro IPCA+ 2050

Respondendo à primeira pergunta, verificamos que a resposta é *sim*. Respondendo à segunda pergunta, verificamos que a resposta é *não*. Dessa maneira, o horizonte desse investimento é de longo prazo, ou seja, em 2050.

► Exemplo 4: Ações

Respondendo à primeira pergunta, verificamos que a resposta é *não*. Respondendo à terceira pergunta, verificamos que para chegar a qualquer conclusão sobre investimento em ações é preciso mais de 5 anos, atravessando vários ciclos econômicos. Dessa maneira, o horizonte desse investimento é de longo prazo.

► Exemplo 5: Imóveis ou fundos imobiliários

Respondendo à primeira pergunta, verificamos que a resposta é *não*. Respondendo à terceira pergunta, verificamos que normalmente ninguém investe num imóvel com a finalidade de vendê-lo em curto prazo. Dessa maneira, tanto imóveis quanto os fundos imobiliários se encaixam no horizonte de longo prazo.

▶ Exemplo 6: Fundos multimercados

Respondendo à primeira pergunta, verificamos que a resposta é *não*. Respondendo à terceira pergunta, precisaremos compreender se o respectivo fundo investe muito em ações. Em caso positivo, tem horizonte de longo prazo. Mas, caso seja um fundo multimercado mais parecido com a renda fixa, pode ser que o prazo de 3 anos seja suficiente para a avaliação dos retornos, o que o colocaria como um investimento adequado para o médio prazo.

Você, como investidor, precisa analisar e avaliar as características dos investimentos que lhe forem ofertados, entendendo como se posicionam no tripé e compreendendo claramente o horizonte de cada um deles. Com essas reflexões, torna-se possível montar uma estratégia de investimentos baseada em cada um dos objetivos, escolhendo os investimentos corretos para cada situação. Certamente será necessário aprender em maiores detalhes sobre os investimentos em renda fixa, em ações, nos fundos de investimento e nos planos de previdência. No entanto, uma vez que os conceitos básicos sejam aprendidos e as características básicas, identificadas, o processo de escolha será simplificado, seguro e personalizado.

REALIZANDO SONHOS COM OS INVESTIMENTOS

Ao longo de toda a leitura, a espinha dorsal da realização dos seus sonhos foi sendo construída. Foram diversas reflexões voltadas a diversos aspectos que envolvem as finanças, como fatores comportamentais, técnicas e noções de investimento. Toda essa construção forneceu as bases necessárias para que agora você possa estabelecer planos concretos e realizar seus objetivos pessoais, porque essa é a finalidade central de todo o aprendizado.

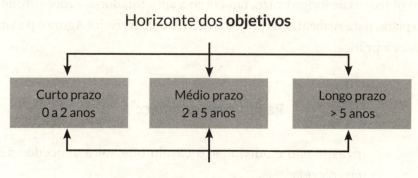

No Capítulo 2 do livro, conversamos sobre a importância das metas financeiras como bússola de todo o seu desenvolvimento financeiro. São elas que lhe dão o norte das escolhas do dia a dia e que permitem enxergar realmente o que é prioridade. São elas que motivam você a melhorar o orçamento, eliminar dívidas e poupar, seguindo as técnicas apresentadas nos outros capítulos. Com todo o aprendizado obtido até aqui, chegou o momento de realizá-las, e o passo a passo é o seguinte:

1. Defina as metas conforme explicado no Capítulo 2;
2. Separe as metas em curto, médio e longo prazo;
3. Planeje os aportes mensais nos investimentos adequados para curto, médio e longo prazo de acordo com as metas estabelecidas;
4. Faça os aportes correspondentes mensalmente;
5. Realize os sonhos!

Lembrando que a primeira meta é a estabilidade financeira, garantida pela reserva de emergência. Depois entram os objetivos de consumo, que podem ser de curto, médio e longo prazo, e, por fim, os objetivos de longo prazo, tais como a aposentadoria. Pronto! Todo o plano para realizar seus projetos de vida está traçado! Agora é partir para a prática!

Resumo do capítulo:

- Investir não é adivinhar o cavalo que sairá vencedor de uma corrida.
- Investimentos têm propósitos definidos. Use-os para a finalidade a que se destinam.
- O tripé dos investimentos é essencial para que todo investidor entenda exatamente o que deve esperar de cada alternativa sem ser surpreendido.
- Compreender o horizonte de um investimento é fundamental para que a escolha seja feita de maneira personalizada e de acordo com os objetivos pessoais.

Toda a técnica está dominada. Chegou a hora de partir para a prática!

Capítulo 16

PLANEJANDO UMA APOSENTADORIA TRANQUILA COM INVESTIMENTOS

Assim como a reserva de emergência é uma necessidade para todas as pessoas, a construção de uma aposentadoria digna também é. Por isso, neste capítulo vamos desenvolver 3 técnicas para definir qual seria o valor necessário a juntar em investimentos financeiros para, assim, usufruir de uma aposentadoria tranquila.

O MÉTODO 1 / 3 / 6 / 9

O método consiste na definição de uma meta de valor que deve ser acumulado ao longo da vida de acordo com a idade do indivíduo e da renda desejada durante a aposentadoria. Esse valor nada mais é do que o índice de cobertura expresso em anos. Nesse método, o indivíduo acumula um determinado patrimônio que será consumido após a aposentadoria, até o final de sua vida.

Basicamente, o método se baseia na ideia de quanto um indivíduo deve ter como meta possuir em investimentos de acordo com a sua idade:

246 Finanças na vida real

- Aos 35 anos, um valor que equivalha a pelo menos 1 ano de sua renda mensal. Digamos que a renda seja de R$ 5 mil; dessa forma, ele deve ter R$ 60 mil investidos.
- Aos 45 anos, o equivalente a 3 anos de sua renda. Considerando os mesmos R$ 5 mil de renda, deve ter R$ 180 mil em investimentos.
- Aos 55 anos, o equivalente a 6 anos de sua renda, que daria R$ 360 mil em investimentos.
- Finalmente, aos 65 anos, o equivalente a 9 vezes a sua renda, o que corresponderia ao valor de R$ 540 mil.

Com esse montante, seria possível utilizar recursos mensalmente até o final da vida, porém há alguns riscos envolvidos aqui: o primeiro é que a expectativa de vida dessa técnica é de 9 anos após a aposentadoria, ou seja, caso o indivíduo viva mais tempo (nesse exemplo, mais de 74 anos), pode ter problemas financeiros justamente quando mais precisa. Isso pode ser equacionado com uma aposentadoria mais tardia e também minimizado com o recebimento da aposentadoria do INSS para somar a essa renda. Dessa maneira, o valor poderia durar mais tempo. E, por fim, outra forma de calibrar o montante seria definir um número arbitrário de anos que se deseja ter como índice de cobertura – digamos 15 anos, para uma expectativa de vida de 80 anos –, e fazer o planejamento para o acúmulo do respectivo montante.

Método dos juros mensais

Nesse método, o indivíduo precisa calcular um determinado valor a atingir de maneira que apenas os juros de suas aplicações financeiras sejam suficientes para arcar com sua aposentadoria. Para fazer a conta, é preciso tomar por base algumas informações:

- Definir a renda mensal desejada (RMD);
- Definir a taxa de juros mensal possível de se obter sem riscos.

A definição da RMD é arbitrária, definida por cada indivíduo. Seguindo o exemplo anterior, podemos definir a RMD como R$ 5 mil. Já definir a taxa de juros mensais é algo complicado, pois é um fator e baseia-se na determinação da Taxa Selic pelo Banco Central e, portanto, foge do controle do investidor. Nos últimos anos, inclusive, a Taxa Selic alcançou níveis tão baixos jamais imaginados para países como o Brasil. Não se espera que essa taxa permaneça indefinidamente tão baixa, mas também não deve retornar aos patamares tão elevados de outrora. Apenas para ilustração, vamos considerar uma Taxa Selic anual na casa dos 6,5%, o que corresponderia a uma taxa equivalente mensal de 0,5262%. Agora basta jogar na fórmula abaixo:

$$M = RMD \times 1/tm \times 100$$

em que:
M = montante necessário
RMD = renda mensal desejada
tm = taxa mensal de juros

$$M = 5.000 \times 1/0,5262 \times 100$$
$$M = 950.209$$

248 Finanças na vida real

Ou seja: acumulando um montante de R$ 950.209, seria possível obter mensalmente juros de R$ 5 mil e viver desses juros, mantendo sempre o valor principal intacto.

Método dos juros mensais eternos

O método anterior traz a possibilidade de viver exclusivamente da renda sem ter que, aparentemente, mexer no montante principal. Mas existe ali um desafio: a inflação. Se uma pessoa vive com R$ 5 mil durante 10 anos, certamente o poder do dinheiro nesse período é corroído de maneira que a qualidade de vida diminui na medida em que o tempo passa. E pode, sim, ser necessário em dado momento começar a retirar recursos do montante principal, o que vai reduzir mês a mês os juros gerados. É possível que ainda assim o montante não se esgote até o final da vida, mas a ideia de ver o valor principal sendo corroído ao longo do tempo não é agradável e coloca pressão num momento que deveria ser apenas de descanso. Por isso, há outra fórmula que pode ser utilizada para chegar a um montante adequado corrigindo tanto o poder de compra da renda mensal quanto o valor do principal. Trata-se do método de juros mensais eternos. Funciona da seguinte maneira:

$$M = RMD \times 1/tm \times 200$$

em que:
M = montante necessário
RMD = renda mensal desejada
tm = taxa mensal de juros

$$M = 5.000 \times 1/0,5262 \times 200$$
$$M = 1.900.418$$

Neste caso, o montante acumulado deveria ser de R\$ 1.900.418, que geraria juros mensais de R\$ 10 mil. A pessoa faria retiradas mensais de R\$ 5 mil e deixaria os outros R\$ 5 mil investidos, aumentando o valor principal. No mês seguinte, a rentabilidade seria um pouquinho maior do que R\$ 10 mil e o procedimento seria o mesmo: retirar a metade e preservar a outra metade junto ao principal. Tal estratégia permite não apenas que o valor principal seja acrescido periodicamente de um valor que é mais ou menos equivalente à inflação, mas também a própria renda mensal é mensalmente corrigida. Dessa forma, o montante principal tem seu poder de compra sempre preservado e gera juros mensais eternamente. Ao final da vida, o montante pode ainda ser transferido para herdeiros.

ESCOLHENDO O MELHOR MÉTODO PARA A APOSENTADORIA

Certamente que entre os 3 métodos apresentados o mais confortável durante a aposentadoria é o terceiro. No entanto, ele requer também um valor acumulado mais elevado e pode, por isso, representar um desafio maior para grande parte das pessoas. Isso pode ser calibrado considerando a RMD e considerando também eventuais rendas de aposentadoria pública. Digamos que o nível de vida seja de R\$ 5 mil, mas existe a possibilidade de garantir uma aposentadoria pelo INSS de R\$ 3 mil. Então bastaria acumular o suficiente para garantir uma RMD complementar de R\$ 2 mil.

Outra forma de seguir esse processo é definir as categorias de aposentadoria como metas a serem alcançadas. A aposentadoria "categoria bronze" é a do método 1 / 3 / 6 / 9. A aposentadoria "categoria prata" é a do método de juros mensais. A "aposentadoria ouro" é a do método de juros mensais eternos. Dessa forma, seu primeiro objetivo passa a ser alcançar a aposentadoria categoria bronze. Uma vez alcançada, você já tem a tranquilidade de que a velhice não será problemática. Bastará um pouco de controle financeiro para levá-la bem. A partir disso, você define a meta de buscar o volume financeiro para o alcance da aposentadoria prata. E, por fim, a ouro. Se no meio do caminho não for possível, não estamos falando de não conseguir se aposentar, mas sim apenas de degraus de maior ou menor conforto dentro de uma aposentadoria viável. De toda forma, o mapa da sua aposentadoria também está traçado com clareza!

MANTENDO O FOCO ONDE SE PODE TER CONTROLE

A trajetória financeira pode incluir diversos caminhos, complexos ou simples, que exijam maior ou menor dedicação e aprendizado. Porém, de todas as variáveis possíveis, existem 3 principais que serão usadas para o alcance de todos os objetivos:

- ▶ **Aporte:** Refere-se à sua capacidade de poupar dinheiro com frequência e canalizá-lo para a realização dos objetivos;
- ▶ **Tempo:** Refere-se ao período em que o dinheiro vai ficar aplicado. Faz muita diferença se os investimentos serão feitos apenas para 3 ou para 30 anos. Quanto maior o tempo do dinheiro investido, maior é a incidência dos juros sobre juros e o "milagre da multiplicação";

▶ **Taxa:** É a rentabilidade que se obtém pelas aplicações ao longo do tempo, expressas em base mensal ou anual, geralmente.

Dos 3 fatores acima, há um sob o qual não temos nenhum controle, que é a taxa. As aplicações de renda fixa serão remuneradas conforme as taxas de mercado, sendo a Taxa Selic a base de referência. Como a Taxa Selic é definida pelo Banco Central em reuniões periódicas para responder principalmente ao comportamento da inflação, não há nada que possamos fazer para influenciá-la. Fora da renda fixa, temos a renda variável, cujo retorno também oscilará de acordo com as condições de mercado e sob o qual também não temos capacidade de influência. Em resumo: a taxa será dada pelo mercado.

A variável tempo está parcialmente sob seu controle. Iniciar investimentos com 30 ou com 60 anos é algo que você pode determinar um pouco mais, mas ainda assim diversos fatores externos influenciam. Além disso, você não pode arbitrariamente definir que acumulará determinado patrimônio por 100 anos, a partir dos 60, o que o levaria a concluir a acumulação com 160 anos para só então se aposentar com qualidade. Até o momento de publicação deste livro, a medicina ainda não garantiu tal expectativa de vida, e, dessa forma, você até pode tomar a atitude de investir o quanto antes, mas não pode esticar os prazos para além de seu próprio ciclo de vida natural. Isso sem contar os riscos de doenças, acidentes ou outros imprevistos.

Por fim, analise a variável aporte. Essa é fruto exclusivamente de sua boa conduta com relação ao orçamento e gestão das finanças pessoais. Esse fator está plenamente sob seu controle e pode ser alvo de sua influência e modificação. Por isso, todo o foco e a atenção devem estar nessa variável. Não adianta compreender todos os meandros dos mercados financeiros, do noticiário econômico, da política da vez e acompanhar todos os analistas de todas as instituições financeiras se os aportes não forem feitos. Tudo começa exatamente nas finanças pessoais. Há muitos casos de investidores que se dedicam muito mais à melhoria das finanças e dos aportes do que propriamente aos investimentos e que conseguem resultados formidáveis.

É atuando nessa variável que você vai desenvolver o bom hábito de poupar regularmente e evitar dívidas a todo custo, o que por si só já trará resultados impressionantes em suas finanças e permitirá não apenas a conquista da segurança financeira, como também a realização dos objetivos e o usufruto de uma aposentadoria digna e confortável.

Resumo do capítulo:

- ► Defina o montante a ser acumulado para sua aposentadoria.
- ► Comece planejando tudo pelo método 1 / 3 / 6 / 9.
- ► Progrida para o método de juros mensais.
- ► Desafie-se com o método de juros mensais eternos.
- ► Concentre-se nas variáveis que você controla.
- ► Foque na sua capacidade de poupar regularmente e deixe o tempo fazer o resto.

Uma aposentadoria tranquila é fruto
da dedicação de uma vida!

PALAVRAS FINAIS

Fico muito feliz que você tenha chegado até o final do livro e espero que as ideias tenham sido úteis para suas reflexões sobre comportamento financeiro. Mais ainda: desejo que a sementinha da base fundamental da técnica financeira pessoal agora germine em você.

Certamente muitas das ideias contidas aqui você já deve até conhecer ou pelo menos ter escutado; no entanto, a grande contribuição que eu quis deixar foi organizá-las de uma maneira sequencial e lógica, que ajudasse você a processar tudo em sua mente, vislumbrando a construção de uma realidade financeira próspera e que tenha por finalidade não apenas o acúmulo de números frios em sua conta bancária, mas principalmente a melhoria de sua qualidade de vida.

Agora você se encontra numa bifurcação e precisará escolher 1 entre as 2 opções a seguir:

- ▶ **Opção 1:** Ficar feliz pelo término de sua leitura, avaliar os momentos que passamos juntos aqui, compartilhando ideias e reflexões, e chegar à conclusão: "Esse André é um cara legal, gostei do livro". E assim você volta para seus afazeres, continua tocando sua vida da mesma maneira que antes, e sempre que pensar em finanças pessoais vai se lembrar desse nosso momento.
- ▶ **Opção 2:** Ficar feliz pelo término da leitura, fazer sua avaliação e, em vez de meramente guardar em sua lembrança essa nossa leitura como um momento bom, utilizar efetivamente as informações apresentadas aqui para traçar de verdade uma trajetória de mudança e melhoria financeira e construir a realidade que se tornou intelectualmente disponível aqui.

Caso você opte pela opção 1 e eu tiver a oportunidade de encontrá-lo um dia, será um prazer conhecê-lo e cumprimentá-lo.

Porém, caso você opte pela opção 2, eu adoraria ter essa mesma oportunidade de encontrá-lo pessoalmente e ouvir de você como está sua jornada, como anda sua evolução e que novas experiências você está vivendo e gostaria de compartilhar comigo. Talvez nessa segunda opção precisemos de mais tempo para a conversa, talvez com um café, e sem dúvida será muito gratificante!

E, por fim, não esqueça que durante a jornada muitas vezes as demandas do dia a dia nos distraem e podemos desviar do caminho. Essa é a vida real e isso é perfeitamente normal. Para que estejamos sempre conectados, utilize este livro como uma fonte de consulta permanente. Faça anotações, destaque os trechos que mais chamaram sua atenção e releia aqueles que sejam pertinentes a cada situação que enfrentar na sua realidade.

E lembre-se: se você ainda não baixou as planilhas que uso para os cálculos de projeção financeira na página deste livro, no site da editora LeYa Brasil, pode fazer isso agora mesmo. O endereço é: http://www.leyabrasil.com.br/financas-na-vida-real/

Pode parecer difícil no começo, mas garanto que a jornada vai valer a pena.

Desejo muito sucesso na sua jornada!

Um grande abraço,
André Bona

Em www.leyabrasil.com.br você tem acesso a novidades e conteúdo exclusivo. Visite o site e faça seu cadastro!

A LeYa Brasil também está presente em:

 facebook.com/leyabrasil

 @leyabrasil

 instagram.com/editoraleyabrasil

 LeYa Brasil

ESTE LIVRO FOI COMPOSTO EM DANTE MT STD,
CORPO 11 PT, PARA A EDITORA LEYA BRASIL.